Tout va bien !

3

Méthode de français

LIVRE DE L'ÉLÈVE

CLE
INTERNATIONAL

Coordination éditoriale : Agnès Jouanjus

Direction éditoriale : Sylvie Courtier

Conception graphique et couverture : Zoográfico

Dessins : Bartolomé Seguí, Mariano Saura, Zoográfico

Cartographie : Latitude-Cartagène

Photographies : S. Padura; A.G.E FOTOSTOCK /SuperStock, Doug Scott, Science Photo Library, Stuart Pearce, Elie Bernager; COVER/SYGMA/COVER / CORBIS/Pierre Schwartz, Louie Psihoyos, ART ON FILE, KIPA/Steff, Hulton-Deutsch Collection, Macduff Everton, Daniel Lainé, Robert Holmes, Bill Ross, Norman Godwin, Dennis Degnan, Fabian Cevallos, Langevin, Farrell Grehan, John Heseltine, Bernard Bisson&Thierry Orban, Lucas Schifres, William Coupon, Nik Wheeler, Wendy Stone, Michael Busselle, Daniel Giry, Maher Attar, Bettmann, TERRES DU SUD, Claude Paris, Owen Franken, Bernard Bisson, Tatiana Markow, NASA/Roger Ressmeyer, LE FIGARO/Sébastien Soriano, Alain Nogues, Julien Hekimian, Pasquini Cedric, Underwood & Underwood, François Duhamel, Charles&Josette Lenars, Nathalie Darbellay, KENT NEWS & PICTURE, Richard T. Nowitz, Leland Bobbé, FOTONONSTOP / J-C.&D. Pratt; GETTY IMAGES; I. Preysler; MUSEUM ICONOGRAFÍA / The Bridgeman Art Library; STOCK PHOTOS / CORBIS/José Luis Pelaez, Inc., Anthony Redpath; THE PICTURE DESK LIMITED / UGC/STUDIO CANAL+THE KOBAL COLLECTION; ARCHIVO SANTILLANA

Pour la chanson LES PARISIENS :

© 1962 by LES NOUVELLES ÉDITIONS MÉRIDIAN - PARIS

© 1996 assigned to LES NOUVELLES ÉDITIONS MÉRIDIAN - PARIS - FRANCE ET LES ÉDITIONS LA MÉMOIRE ET LA MER - MONTE-CARLO

Pour la chanson CHÂTELET-LES-HALLES :

Paroles : Lionel Florence

Musique : Calogero Bros

Recherche iconographique : Mercedes Barcenilla

Coordination artistique : Carlos Aguilera

Correction : Hélène Lamassoure, Anne-Sophie Lesplulier

Coordination technique : Jesús Á. Muela

Les auteurs remercient toutes les personnes qui les ont aidées, et plus particulièrement, Michèle Pendanx.

TABLE DES MATIÈRES

TABLE DES MATIÈRES

✔ TOUT VA BIEN ! 3 est une méthode pour adultes et grands adolescents ayant déjà abordé le niveau B1 (Seuil) du Cadre Européen Commun de Référence.

✔ Elle est prévue pour 130 heures de cours environ, soit de 10 à 12 heures par leçon et elle suit un découpage régulier : 5 unités de 2 leçons chacune, 5 bilans, 2 projets.

✔ Conçue pour un enseignement en groupes, elle offre un matériel compatible avec un apprentissage en autonomie.

OBJECTIFS ET CONTENUS

TOUT VA BIEN ! 3 vise l'acquisition d'une compétence de communication d'un niveau intermédiaire. Les objectifs et contenus de la méthode ont été déterminés à partir du niveau B1 du Cadre Européen Commun de Référence. Ils répondent donc aux besoins langagiers -tant écrits qu'oraux- d'une personne ayant des contacts suivis avec des natifs (par exemple, au cours d'un séjour professionnel ou touristique en territoire francophone). L'apprenant pourra se situer dans son apprentissage et développer sa capacité d'autonomie : une récapitulation et un bilan sont à faire après chaque unité. Il disposera aussi, au milieu du manuel, d'une activité spécifique qui lui permettra de *faire le point*.

COMPÉTENCES

TOUT VA BIEN ! 3 poursuit systématiquement la progression amorcée dans TOUT VA BIEN ! 1 et 2. La méthode propose un travail rigoureux et régulier qui porte soit sur une compétence isolée soit sur plusieurs simultanément. La langue écrite acquiert un rôle très important et les médias (radio et presse) sont des supports récurrents. Grâce à ces supports, l'apprenant peut développer ses propres stratégies de compréhension et d'expression.

OUTILS

• **Les documents et les projets répondent à quatre critères :**
  - proposer à l'apprenant des situations de communication dans lesquelles il peut se trouver ;
  - le familiariser avec les médias qui seront à sa disposition ;
  - l'habituer aux registres de langue grâce à des supports authentiques ;
  - renforcer sa motivation et lui apporter les éléments culturels indispensables qui faciliteront ses contacts avec les natifs.

• **Les activités, explications et exercices répondent aux critères suivants :**
  - diversification en fonction du profil des apprenants ;
  - progression en spirale et reprise des contenus de A1 et A2 ;
  - variété des modes de travail : les activités de classe se font soit avec le groupe-classe dans son ensemble, soit en petits groupes, soit individuellement.

• **Les conseils, stratégies, bilans et mises au point visent un objectif essentiel :**
  - l'autonomisation de l'apprenant et, en particulier, l'auto-évaluation de ses compétences et de son processus d'apprentissage.

• **Le *Portfolio* et le *Passeport* situés en fin de livre servent à l'apprenant à :**
  - prendre conscience de son parcours individuel par compétences ;
  - attester de son profil linguistique.

TABLEAU DES CONTENUS

COMMUNICATION

UNITÉ 0

- Faire connaissance et communiquer avec les membres de la classe
- Parler de soi

- Autoévaluer ses capacités de compréhension et d'expression
- Définir ses attentes et ses objectifs d'apprentissage

UNITÉ 1

- Exprimer des opinions nuancées
- Exprimer des jugements positifs et négatifs
- Parler de ses goûts et préférences
- Impliquer son interlocuteur
- Article de presse : sondage
- BD

- Chanson d'auteur
- Conte
- Récit de vie

UNITÉ 2

- Faire des commentaires favorables ou défavorables
- Réagir favorablement ou défavorablement à une idée, un fait, un événement
- Présenter un débat et des intervenants
- Prendre / Couper la parole
- Insister sur un argument / S'y opposer

- Organiser ses idées
- Articles de presse : nouvelles économiques et sociales, témoignages sociaux
- Lettre ouverte dans un journal
- Lettre officielle de protestation

PROJET 1

UNITÉ 3

- Comparer
- Expliciter
- Nuancer
- Exprimer ses émotions, sensations, sentiments

- Décrire des tableaux
- Biographie langagière
- Textes narratifs (presse) / Critiques de film

UNITÉ 4

- Parler de sa personnalité et de ses capacités professionnelles
- Entretien d'embauche
- Donner des options, des conseils
- Reconnaître la valeur d'une objection
- Texte spécialisé sur les chasseurs de têtes

- Lettre de demande de stage
- Publicité
- Recettes de cuisine
- E-mail d'invitation
- Texte créatif

UNITÉ 5

- Présenter son point de vue
- Montrer son accord partiel
- Manifester son opposition
- Préciser / Nuancer / Mettre en valeur des idées
- Introduire d'autres idées ou arguments
- Présenter les causes et les conséquences de faits évoqués / Exposer, négocier, débattre
- Faire des suppositions

- Interview
- Petites annonces
- Textes descriptifs et informatifs spécialisés (tourisme)
- Textes prescriptifs : règlements officiels
- Chansons d'auteurs

PROJET 2

GRAMMAIRE	LEXIQUE	CIVILISATION	
			U0
▶ Pronoms interrogatifs ▶ Expression de la quantité indéfinie (adjectifs et pronoms indéfinis, le pronom *on*, l'expression *n'importe*...) ▶ Temps du passé (imparfait, passé composé, passé simple, plus-que-parfait)	▶ Activités de loisirs et sportives ▶ La vie au fil des jours (rites et événements)	▶ Quelques jeux francophones ▶ La population française	**U1**
▶ Pronoms compléments ▶ Expression du temps ▶ Subjonctif ▶ Alternance indicatif / subjonctif dans les complétives	▶ Le monde du travail : conflits, vie syndicale et associative ▶ Mouvements de pensée et vie politique	▶ La vie syndicale et associative en France ▶ La politique en France : institutions et fonctionnement	**U2**
			P1
▶ Pronoms relatifs composés ▶ Expression du lieu ▶ Expression du temps ▶ Opposition et concession ▶ Mise en relief	▶ Pour parler de la langue : mots, associations de mots, images, registres ▶ Pour parler des arts : peinture, cinéma, musique...	▶ La langue française et la Francophonie ▶ La presse et le cinéma francophones européens	**U3**
▶ Expression de la cause ▶ Expression de la conséquence ▶ Expression du but ▶ Expression de la comparaison ▶ Participe présent et gérondif ▶ Passif impersonnel	▶ Le travailleur et le marché du travail ▶ Cuisine et gastronomie : les aliments, le vin	▶ Convivialité et bonnes manières ▶ L'alimentation des Français	**U4**
▶ Expression de la condition ▶ Expression de l'hypothèse ▶ Le discours rapporté	▶ Le monde des sciences et de la technique ▶ la métropole : population, urbanisme, environnement urbain	▶ Recherche en France : quelques données ▶ Découverte de Paris à travers son histoire	**U5**
			P2

▶ Faire connaissance et communiquer avec les membres de la classe.

▶ Parler de soi.

▶ Autoévaluer ses capacités de compréhension et d'expression.

▶ Définir ses attentes et ses objectifs d'apprentissage.

Parler

1 Qu'emportez-vous ?

1) Vous partez en voyage à cinq dans une voiture dont le coffre n'est pas très grand. Vous ne pouvez emporter, comme bagage, qu'un sac de taille moyenne. Quel objet mettez-vous en priorité dans votre sac ?

a) Votre appareil-photo.
b) Votre trousse à pharmacie.
c) Votre recueil de poèmes préféré.
d) Votre guide touristique.
e) Le vêtement qui vous va le mieux.

2) Rejoignez les personnes qui ont choisi le même objet que vous et expliquez à tous les membres de la classe la raison de votre choix.

2 Qu'en pensez-vous ?

1) Restez dans le même groupe et répondez aux questions de l'enquête ci-dessous.

1) À qui tenez-vous le plus ?
   a) À vos ami(e)s.
   b) À vos parents, à vos frères et sœurs.
   c) À votre mari / femme ou conjoint(e).

2) Si vous étiez une star, quel caprice vous offririez-vous ?
   a) Demander la fermeture d'un magasin pour ne pas y être dérangé(e).
   b) Exiger qu'on vous envoie une dizaine de robes de soirée pour l'avant-première de votre dernier film.
   c) Téléphoner à votre pâtissier préféré pour qu'il vous envoie des petits-fours à 4 h du matin.

3) Quelle qualité appréciez-vous le plus chez un(e) partenaire ou chez votre conjoint(e) ?
   a) La beauté.
   b) L'intelligence.
   c) L'humour.

4) Après une dispute dont vous vous sentez responsable, que faites-vous pour vous faire pardonner ?
   a) Vous vous excusez et reconnaissez très vite vos torts.
   b) Vous vous montrez sympathique et amical(e) mais vous ne revenez pas sur la dispute.
   c) Vous offrez un petit cadeau.

5) Dans le monde du cinéma, qui seriez-vous ?
   a) Un acteur / Une actrice.
   b) Un réalisateur / Une réalisatrice.
   c) Un producteur / Une productrice.

6) Comment vous imaginez-vous dans 40 ans ?
   a) Comme une momie, physiquement et mentalement.
   b) Comme un(e) sage affectueux(se) et tolérant(e).
   c) Comme maintenant mais avec des rides.

7) Vous vous feriez tatouer…
   a) une rose.
   b) des symboles tribaux.
   c) l'idéogramme chinois de l'amour.

8) Quelle partie de votre organisme vous semble la plus précieuse ?
   a) Le cerveau.
   b) Le cœur.
   c) Les muscles.

9) Vous vous verriez bien réincarné(e) en…
   a) lion impérieux.
   b) cerf majestueux.
   c) écureuil prévoyant.

10) Pendant un long week-end pluvieux, vous pourriez écouter indéfiniment…
   a) de la musique disco.
   b) des opéras.
   c) les derniers tubes.

2) Nommez un porte-parole chargé de donner à la classe les résultats obtenus dans votre groupe pour chaque question.

3 Souvenirs, souvenirs.

Par groupes de 3, tirez au sort la personne chargée de raconter (en 50 secondes) l'un des meilleurs souvenirs de sa vie. Posez-lui des questions pour obtenir des détails sur cet épisode.

4 Que faire avec… ?

En grand groupe, vous avez 2 minutes pour imaginer deux utilisations inhabituelles (étranges, loufoques) pour chacun des objets ci-contre.

5 Qui peut le faire ?

1) Expliquer quels ingrédients composent les plats suivants et de quels pays ils sont originaires.

la fondue, la bouillabaisse, la choucroute, le gratin de patates douces

2) Dire ce que signifient les sigles suivants.
RATP, RTT, SNCF, CDD, RMA, HLM, RTBF

3) Citer le nom de…
   a) 4 écrivains francophones.
   b) 4 chanteurs / chanteuses francophones.
   c) 4 acteurs / actrices francophones.
   d) 4 personnages de BD francophones.
   e) 4 peintres, artistes, musiciens… francophones.

4) Répéter vite et sans se tromper les phrases suivantes.
   a) Zazie causait avec sa cousine en cousant.
   b) J'ai tant de tantes, quelle tante m'attend ?
   c) Les chaussettes de l'archiduchesse sont-elles sèches ou archisèches ?
   d) Cinq gros gras grillent dans la grosse graisse grasse.

6 Évaluez-vous. Vous vous êtes exprimé(e) en français…

	1 (-)	2	3 (+)
tout le temps			
avec aisance			
avec précision			
correctement			
sans qu'on vous fasse répéter et sans qu'on corrige votre prononciation			

Lire

1 Lisez ces textes, puis répondez aux questions suivantes.

1

Elle le connaît depuis une minute à peine lorsqu'ils s'approchent à se toucher. Il a dit « bonjour », peut-être, quelqu'un les a présentés dans cette soirée, un samedi à Paris. Ils restent quelques secondes immobiles et muets, souriants, puis elle jette ses bras vers lui, autour de son cou, elle ferme les yeux ; il la reçoit, le corps est chaud sous ses mains, il est à elle.
Ils ne parlent que plusieurs heures après, dans une chambre de cet appartement où ils ne sont jamais venus ni l'un ni l'autre, ils se disent leur nom.
C'est le nom qu'elle porte maintenant.

Dans ces bras-là, Camille Laurens © P.O.L. 2000

3

CONNAISSANCE Ⅲ **1♦** Relation sociale qui s'établit entre personnes. → **Contact** (entrer en). **2♦** Une connaissance : une personne que l'on connaît. → **Relation.** *Ce n'est ni un ami ni un camarade, c'est une simple connaissance.*
© *Petit Robert de la Langue Française*, 2000

4

Lalla et Conrad, 25 et 27 ans

Elle parle tout le temps en agitant les mains. Lui la regarde, sans y croire. Sous le charme depuis le début, depuis que cette jolie fille au rire craquant lui a un jour proposé spontanément de l'aider à réviser son programme. C'était il y a quatre ans à la fac de Nanterre. Étudiants en maîtrise de droit international, ils ne s'étaient jamais vus. Lui : « Je n'avais jamais rencontré une nana comme ça, elle a du cran, de la détermination. » Elle : « Je ne le draguais pas. D'ailleurs, j'avais la haine des mecs. C'est venu tout seul. » Des points communs, bien sûr : tous deux africains, elle du Sénégal, lui, du Togo ; avec tous deux une enfance dans des cités miteuses ; leur amour du rap. Depuis juillet dernier, ils habitent ensemble. En mars prochain, et ils touchent du bois en le disant, ils pensent se marier.

Week-end. 28 mars 2004.

2

À tous ceux qui se croient nés sous une mauvaise étoile... Ce soir, venez fêter avec nous une Nuit des Étoiles extraordinaire ! Non, nous ne vous proposons pas d'aller faire des promesses d'amour éternel au passage des étoiles filantes ! Mais nous parlerons, âmes esseulées, de nos désirs, de nos rêves, de la magie de la nuit, de nos plus belles nuits. Nous échangerons nos sensations, nos souvenirs, nos expériences... Ne restez pas tout seuls en cette nuit magique ! Car, qui sait ? l'âme sœur est peut-être de l'autre côté de la nuit... Partagez cette merveilleuse nuit des étoiles en vous connectant sur www.nuitdesetoiles.fr

1) Quel texte correspond à : a) un roman b) un témoignage c) un extrait d'article de revue d) une pub e) une interview dans un journal f) une définition de dictionnaire ?

2) Quel est le thème commun à tous ces textes ?

3) Aborde-t-on le même aspect de ce thème dans chaque texte ?

4) Quel est l'objectif de chacun de ces textes ? Choisissez parmi les possibilités suivantes :
a) définir un terme b) faire la promotion d'un service c) illustrer un sujet de société d) décrire une situation e) fournir un / des argument(s) f) raconter des faits

5) Quel titre donnez-vous à chaque texte ?
a) *Coup de foudre* b) *À l'écoute des astres* c) *Jour après jour, se tisse l'amour* d) *Créer des liens*

6) Quel(s) texte(s) a / ont le registre de langue le plus familier ? Justifiez votre réponse avec des exemples.

2 Évaluez-vous !

1) À combien de questions avez-vous répondu correctement ?

2) À quelles questions avez-vous répondu correctement ?
a) À celles qui concernaient la compréhension globale. (questions 1, 2)
b) À celles qui concernaient la compréhension fine. (questions 3, 4, 5)
c) À celle qui concernait la compréhension sélective des informations. (question 4)
d) À celle qui concernait les registres de langue. (question 6)

Écouter

1 Écoutez cette conversation. Lequel de ces résumés correspond à l'enregistrement que vous venez d'écouter ?

1) Deux amis, Alice et Mammoud, se disputent à cause d'un coup de téléphone que ce dernier a passé à une amie d'Alice, Élodie. Il lui a demandé de la revoir car elle lui plaît beaucoup. Alice, jalouse, lui fait des reproches.

2) Deux amis, Alice et Mammoud, se disputent à cause d'un texto qu'Alice a envoyé à Élodie, une ancienne copine de travail. Elle lui disait que Mammoud voulait la revoir car elle lui plaisait beaucoup. Mammoud n'est pas content de la plaisanterie d'Alice.

3) Deux amis, Alice et Mammoud, parlent d'un texto qu'Alice a reçu d'Élodie, une ancienne copine de travail. Élodie voudrait revoir Mammoud qui lui plaît beaucoup. Alice cherche à faire deviner la situation à Mammoud, qui s'énerve un peu.

2 Débat à l'antenne. Dites si les affirmations suivantes sont vraies ou fausses.

1) La première personne explique la politique que devraient suivre les médecins pour supprimer les facteurs d'allergie.
2) La deuxième personne donne en partie raison à la première parce que les médecins ne sont pas responsables de l'environnement.
3) La troisième personne est totalement d'accord avec la deuxième.
4) Elle rend responsable toute la société de la situation actuelle.
5) Elle lance un appel à la prise en charge collective des problèmes de santé.

3 Coup de téléphone. Imaginez les interventions de l'interlocuteur, puis écoutez le dialogue.

a) –_____
–Allô, allô, pardon ? L'entreprise Duval ! Denise Lemaire à l'appareil.

b) –_____
–Excusez-moi, je vous entends très mal. Pouvez-vous parler plus fort, s'il vous plaît ?

c) –_____
–Non, monsieur Dupont n'est pas là en ce moment.

d) –_____
–C'est possible, mais je vous dis qu'il n'est pas là !

e) –_____
–Vous pouvez lui laisser un message, je le lui remettrai.

f) –_____
–Je ne peux pas vous dire. Il a beaucoup de rendez-vous à l'extérieur en ce moment.

g) –_____
–Ce n'est pas la peine de vous fâcher, monsieur ! M. Dupont vous contactera le plus vite possible !

h) –_____
–Je vous dis que M. Dupont n'est pas là et le chef de service non plus.

i) –_____
–Écoutez, monsieur, je vous passe un collègue de M. Dupont. Il connaît peut-être son emploi du temps… attendez, ne raccrochez pas !

4 Évaluez-vous par rapport aux activités réalisées.

1) Quel document vous a semblé le plus facile à comprendre ? Le plus difficile ? Pourquoi ?
2) Quelle activité vous a semblé la plus facile ? La plus difficile ? Pourquoi ?
3) Combien d'activités avez-vous faits correctement ? Lesquelles ?
   a) Celle qui visait plutôt la compréhension globale du document (activité 1).
   b) Celle qui visait plutôt la compréhension de certaines informations (activité 2 en particulier).
   c) Celle qui visait une compréhension exhaustive (activité 3).

Écrire

1) Vous êtes Alice. Écrivez un mail à Élodie pour répondre à sa demande (50 mots).

2) Donnez votre avis sur le thème de l'activité 2 (100 mots).

3) Vous êtes Denise Lemaire. Vous rédigez un message à M. Dupont pour lui expliquer l'appel reçu (50 mots).

1 À cœur ouvert

OBJECTIFS

▶ Intervenir dans des conversations amicales
  (registres standard et familier).

▶ Comprendre une enquête. / Y répondre
  (domaine privé).

▶ Comprendre / Exprimer des opinions et des points
  de vue différents.

▶ Comprendre une émission de radio récréative.

▶ Comprendre des récits suivis.

▶ Comprendre / Élaborer un sondage sur un sujet
  de société.

▶ Donner son avis sur les activités d'un club de vacances.

▶ Écouter la lecture à haute voix d'un texte écrit (conte)
  et se sensibiliser à son expressivité.

▶ Appliquer des critères précis pour écrire un texte
  et l'évaluer.

▶ Réfléchir à des stratégies de prise de notes
  sur des documents oraux.

Situation 1 > S'il vous plaît, ayez la pêche !

Association
Culturelle et Sportive
Boissy-Fresnoy

PROGRAMME
2005-2006

1 Écoutez ce document, puis prenez des notes sur les points suivants.

a) le genre d'émission de radio
b) le sujet de l'émission
c) le moment de l'année où elle est réalisée
d) le nombre d'intervenants
e) le but de l'émission
f) ses différentes phases
g) les différentes questions posées pendant l'enquête

2 Comparez vos notes avec votre voisin(e), établissez une liste commune, puis commentez-la en grand groupe.

3 Réécoutez le document et répondez aux questions suivantes.

1) Pourquoi cette émission est-elle programmée à cette période ?
2) Quelles raisons peuvent rendre les gens négatifs ?
3) Est-ce que tout le monde est pessimiste à cette période de l'année ?
4) Qu'est-ce qui peut aider les gens à rester optimistes ?
5) Pourquoi les responsables de l'émission ont-ils décidé de mener une enquête ? Où est-elle menée ?
6) Citez les réponses données à la question sur le temps réservé aux loisirs. Indiquent-elles toutes la satisfaction des personnes interrogées ?
7) En quoi consiste la règle des trois « D » en matière de loisirs ? Est-ce que toutes les personnes interrogées la suivent ?
8) Avec quelles activités ces personnes occupent-elles leur temps libre ?
9) À quel genre d'auditeurs le locuteur demande-t-il d'intervenir ? Pourquoi ?
10) Comment peuvent-ils intervenir ?

4 Commentez. Donneriez-vous les mêmes réponses à la question de l'enquête : « À quoi consacrez-vous ce temps libre ? » Ajouteriez-vous des activités de loisirs ? Lesquelles ?

5 Repérez dans l'enregistrement les mots ou expressions correspondant aux mots ou expressions en caractères gras.

a) C'est le retour au boulot et au stress qui, **malheureusement,** l'accompagne.
b) Beaucoup craignent la grisaille, la pollution, **les complications** inévitables.
c) Ce n'est pas évident de penser aux prochaines vacances **quand** on nous prédit un automne chaud.
d) Pour vous aider à garder **le moral**…
e) **Il ne dépend que de nous** d'en faire de vrais moments de fête.
f) Toutes les personnes interrogées ont des loisirs **bien qu'elles estiment** qu'ils sont insuffisants.

Réfléchissons ! Prise de notes pendant l'écoute d'un document.
Par petits groupes, retrouvez ce que vous faites quand vous écoutez un document.

- Vous lisez attentivement les consignes et les questions pour trouver des indices sur le document à écouter : type de document, titre, intervenants, source, date…
- Vous écrivez les informations que vous comprenez : dates, chiffres, mots, bouts de phrases.
- Vous faites des hypothèses sur les éléments d'information qui vous manquent.
- Vous gardez votre calme même si le document vous paraît difficile.
- Vous imaginez le genre d'information que vous allez entendre : contenu, style des intervenants, objectifs…
- Vous distinguez les idées principales des idées secondaires et des exemples.
- Vous relisez vos notes afin de les organiser.
- Vous vous appuyez sur ce que vous comprenez pour émettre des hypothèses sur le sens de mots, de phrases, d'idées…
- Vous vous faites une idée globale du contenu.
- Vous retrouvez l'organisation du document : début, milieu, fin.
- Vous utilisez des abréviations, un style télégraphique ou autre, pour écrire plus vite.
- Vous vérifiez l'exactitude des informations notées.

Complétez le tableau.

avant l'écoute	pendant la 1re écoute	après la 1re écoute	pendant les autres écoutes	après la dernière écoute

Situation 2 > Cours d'aérobic

1 Écoutez ce dialogue, puis prenez des notes sur les points suivants.

a) le lieu et le moment de cette conversation
b) le nombre d'intervenant(e)s
c) leurs opinions sur ce cours d'aérobic
d) leurs autres loisirs

2 Réécoutez le dialogue, puis dites si ces affirmations sont vraies ou fausses. Justifiez vos réponses.

1) Audrey apprécie la prof. Cynthia, par contre, a une opinion d'elle très négative.
2) Les trois filles parlent d'un reportage qu'elles ont vu ensemble à la télé.
3) Selon Audrey, ce reportage donnait une idée juste de ce qu'est l'aérobic.
4) Cynthia défend l'idée que, sans être une professionnelle, on peut arriver aux mêmes résultats que les filles de l'émission télévisée.
5) Aziza pense le contraire parce qu'elle n'est pas très souple.
6) Audrey est persuadée que les échauffements ne sont pas nécessaires à tous les sportifs.
7) Aziza pense que Cynthia oublie certains aspects de la gym.
8) Elles se retrouvent uniquement pour faire de la gym.

3 Retrouvez dans cette conversation les mots qui font référence à la pratique d'un sport.

4 Maintenant, dites à quels mots de la conversation correspondent les définitions suivantes.

a) Bande de tissu qui retient les cheveux.
b) Douleurs musculaires dues à un effort.
c) Suite de mouvements.
d) Qualité de ce qui est flexible.

• L'expression de la quantité (indéfinie)

▶ LES ADJECTIFS ET LES PRONOMS INDÉFINIS

Ils peuvent exprimer différents degrés de quantité imprécise, la diversité ou la similitude, la totalité…
Certaines formes varient en fonction du genre et du nombre, d'autres sont invariables.

> Lisez les extraits suivants et repérez les adjectifs et les pronoms indéfinis, puis classez-les en formes variables et formes invariables. Qu'expriment ces formes ?
> Consultez, si besoin est, le tableau en fin d'ouvrage (p. 136).

Ben, il doit bien être quelque part.
En général, elle (ne) laisse rien passer.
Elles étaient toutes parfaitement synchronisées.
Si les pros, quand ils s'entraînent, commencent par s'échauffer, c'est pas pour rien.
—Et toi Cynthia, les enchaînements de l'émission, tu crois que tu peux arriver à les faire ?
—Oui, presque tous. Certains sont plus durs que d'autres.
Pour moi, il y a d'autres choses dans la vie…

▶ L'EXPRESSION *N'IMPORTE*…

*C'est simple, **n'importe qui** peut y arriver.*

> Dites autrement la phrase ci-dessus.
> Qu'exprime la locution *n'importe qui* (la quantité, la différence, l'indéfinition) ?

n'importe + adjectif interrogatif + nom
(quel, quelle, quels, quelles)
Tu peux retirer de l'argent à n'importe quel guichet.

n'importe + adverbe ou pronom interrogatif
(qui, quoi, où, quand, comment, lequel, laquelle, lesquels, lesquelles)
Il peut être n'importe où !
Elle parle n'importe comment.

▶ LE PRONOM INDÉFINI *ON*

Observez les phrases suivantes.
Elle fait gaffe à ce qu'on fait et elle sait nous corriger.
Nous, on a fait pas mal de progrès depuis six mois.
J'insiste : « quand on veut, on peut ».

> Les personnes dont on parle sont-elles connues ou non ? Quelle est la fonction syntaxique de *on* ? À quelle personne est conjugué le verbe qui le suit ?

Le pronom *on* peut renvoyer à :
– **tout le monde, les gens** : *En France, on déjeune à midi et on dîne à 20 heures.*
  Dans cet hôtel, on n'est pas obligé de réserver.
– **nous** : *Marc et moi, on s'est mariés l'année dernière à Cannes.*
  Si tu veux, on peut partir demain au lieu de vendredi.
– **tu / vous** : *Les enfants, on se dépêche et on finit ses devoirs ! Et on ne rouspète pas !*

▶ LOCUTIONS EXPRIMANT L'IMPRÉCISION

> Quels mots permettent d'exprimer une quantité dans les phrases suivantes ? Connaissez-vous d'autres expressions de ce type ?

La plupart du temps, tu rates la moitié des échauffements.
Moi, il y a des fois où, le lendemain, j'ai mal partout.

---

1 Lisez ce texte et repérez les apparitions du pronom *on* : quelle est sa valeur dans chaque cas ?

Tanger, juillet 2000. Je vous écris de la terrasse d'une falaise. C'est un café, un des plus anciens cafés de Tanger. On y boit surtout du thé à la menthe. La salle est minuscule. Par terre, des nattes. […] Au fond, par temps clair, on voit l'Espagne. Des maisons blanches, de la lumière, une vague figure de rêve. On a l'impression que l'Espagne ne nous voit pas ou ne nous regarde pas. Quand on vient au café Hafa, on ne pense pas à la traversée. On laisse le temps passer avec lenteur, avec une douceur rare que confirment les nombreux chats qui y trouvent refuge. Leur nonchalance, leur élégance rappellent que le temps est en nous. Alors on s'assoit, on cale la table et on se laisse aller à la gratuité. On est là pour le rien. Peut-être pour l'oubli. […]

Je suis assis sous un figuier et je regarde le port. Des bateaux entrent, d'autres attendent au large. Autour de moi, des jeunes gens modestes jouent aux cartes, d'autres jouent au parché, un jeu espagnol. On lance un dé sur une marelle. Je ne suis pas doué pour le jeu. Alors je les observe avec amusement. […] Le café est plein mais il est dispersé sur plusieurs niveaux. On ne voit pas les autres consommateurs. On les entend. On entend aussi la radio et on sent par moments des effluves de kif.
Le propriétaire est un héros. Il a refusé toutes les offres et beaucoup d'argent pour céder ce lieu à une entreprise plus performante. Il a résisté. Qu'il soit remercié pour l'éternité.

Carte postale, Tahar Ben Jelloun © L'Express. 20/07/2000

2 Complétez ces phrases en choisissant un adjectif ou un pronom indéfini.

1) Notre équipe est la meilleure, nous pouvons battre … .
2) On peut accéder à ce site Internet avec … navigateur.
3) Avec notre système, vous pourrez lire vos mails … .
4) Nos clients peuvent consulter leurs comptes à … heure.

5) Dépêchons-nous, papa peut arriver … et ça sent vraiment la fumée.
6) Avec lui, c'est toujours la surprise, il peut arriver … .
7) Fais-le …, mais fais-le, ça fait une heure que j'attends.

3 Lisez le texte suivant et repérez les expressions indiquant des quantités.

Les femmes rattrapent les hommes dans la pratique

Depuis une dizaine d'années, les femmes ont réduit leur retard sur les hommes en matière de pratique sportive. Mais la parité des sexes n'est pas encore réalisée : un tiers des femmes de plus de 18 ans font du sport au moins occasionnellement contre 47 % des hommes. Leurs motivations sont principalement liées à l'entretien du corps. […] C'est sans doute l'une des raisons pour lesquelles les sports d'équipe ne les passionnent guère (à l'exception du basket et du handball). Elles sont en revanche très attirées par les sports individuels : plus des trois quarts des personnes concernées par la gymnastique ou la danse sont des femmes. 70 % des 500 000 pratiquants de l'équitation sont des femmes. Elles sont aussi plus nombreuses que les hommes à apprécier la natation. Ce sont elles qui ont assuré le développement récent de certaines activités comme la randonnée.

G. Mermet, *Francoscopie 2001* © Larousse 2000.

4 Maintenant, classez ces expressions : quantités précises / imprécises.

● Pronoms interrogatifs

Observez ces phrases.

À quoi consacrez-vous ce temps libre ?
Et lequel de ces adjectifs correspond, selon vous, à votre temps de loisirs : suffisant, insuffisant, essentiel ou superflu ?

▶ **Formes simples :**

– **invariables :** *que, (prép. +) qui, (prép. +) quoi*
   *À **qui** tu parlais ?*
– **variables :** *lequel, laquelle, lesquels, lesquelles, auquel, à laquelle, auxquels, auxquelles, duquel, de laquelle, desquels, desquelles*
   ***Lesquelles** as-tu choisies ?*
   *Tu parles **duquel** ?*

▶ **Formes renforcées :**

***Qui** est-ce **qui** a vu mon bandeau ?* (personne, sujet)
***Qui** est-ce **que** tu as rencontré au gymnase ?* (personne, COD)
***Qu'**est-ce **qui** te motive le plus ?* (chose, sujet)
***Qu'**est-ce **que** tu as oublié au vestiaire ?* (chose, COD)
*À **quoi** est-ce **que** vous consacrez votre temps libre ?* (chose, complément)

5 Complétez les phrases suivantes avec le pronom interrogatif qui convient.

1) Peux-tu m'expliquer à … servent les Nations Unies ?
2) … faut-il faire pour lutter contre les injustices dans le monde ?
3) Vous avez des souvenirs de votre jeunesse ? … ?
4) De … tenez-vous ces informations tout à fait invraisemblables ?
5) … de ces candidates va remporter la victoire aux prochaines élections ?

6) Dites-moi, … voyez-vous comme maire de votre ville ?
7) De … êtes-vous en train de parler ? Vous avez l'air très en colère.
8) … de ces deux sacs préfères-tu ? Le vert ou le blanc ?
9) … dois-je faire ? … tu me conseilles ?
10) … lui arrive ? Il est tout blanc !
11) À … as-tu demandé les clés ?
12) Avec … vas-tu ouvrir la bouteille ?

La page détente

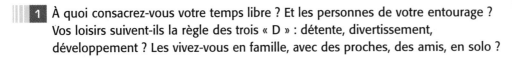

DÉCORATION COUTURE VIE ASSOCIATIVE CHATS ARTISANAT SORTIES ÉCRITURE PEINTURE THÉÂTRE DANSE PHOTOGRAPHIE LECTURE

1 À quoi consacrez-vous votre temps libre ? Et les personnes de votre entourage ? Vos loisirs suivent-ils la règle des trois « D » : détente, divertissement, développement ? Les vivez-vous en famille, avec des proches, des amis, en solo ?

2 Dans la société moderne, comment occupe-t-on ses loisirs ?

LES ACTIVITÉS CULTURELLES

EN TANT QUE SPECTATEUR

assister à
- un concert
- un tour de chant
- un festival
- un spectacle
- un feu d'artifice
- une représentation
- une pièce de théâtre

réagir
- applaudir
- encourager
- rire aux larmes
- crier, siffler
- taper du pied
- huer
- ovationner

EN TANT QU'AMATEUR

- faire un stage
- participer à un atelier
- assister à des rencontres
- suivre un cours
- visiter
- faire un parcours découverte

LES JEUX

- de société
- de plein air
- de hasard
- de rôle
- vidéo
- informatiques

- gagner
- prendre sa revanche
- être mauvais(e) joueur / joueuse
- tricher
- perdre
- être bon(ne) / mauvais(e) perdant(e)

Vous jouez, oui, mais pour quelle raison ?

- pour ressentir des émotions
- pour passer un bon moment avec des amis
- pour retrouver les plaisirs de l'enfance
- pour transgresser les normes

En voyez-vous d'autres ? Lesquelles ?

LES SPORTS

TYPES DE SPORTS

- sports nautiques
- sports de montagne
- sports de glisse
- sports d'équipe
- sports à risque
- athlétisme
- cyclisme
- équitation

LES MOTIVATIONS

- se détendre
- se muscler
- garder la forme, la ligne
- se dépasser
- vivre mieux
- trouver un équilibre entre le physique et le mental

- battre un record
- réaliser une performance
- combattre le stress
- l'esprit de compétition
- l'esprit d'équipe
- s'amuser entre amis
- s'occuper

3 Vous êtes sportif(ve) de terrain. Quels sport pratiquez-vous ? Pour quelles raisons ?

4 Par petits groupes, choisissez un sport et dites…

a) quelle tenue ou quel équipement sont nécessaires à sa pratique.
b) quels mouvements on fait en pratiquant ce sport.
c) quelles en sont les répercussions sur l'organisme.
d) quels risques il peut présenter.

Présentez-le au reste de la classe, qui devra deviner de quel sport il s'agit.

LES RISQUES DU SPORT

- se fouler la cheville, le poignet
- se luxer / démettre l'épaule
- se tordre la cheville, le pied, le poignet
- se casser le bras, la jambe
- faire une mauvaise chute
- se blesser

LES MOUVEMENTS

avec les membres	avec le corps
lever	se pencher
baisser	s'allonger
plier	s'accroupir
tendre	se relever
étirer	s'asseoir
soulever	se mettre à genoux
	sauter

5 Vous êtes sportif(ve) de salon. Quels sports regardez-vous à la télévision ? Comment réagissez-vous, en tant que spectateur(trice), devant les situations suivantes ?

Un(e) sportif(ve)

- se qualifie
- élimine / bat un(e) concurrent(e)
- bat un record
- dispute un match
- remporte une victoire
- subit / essuie une défaite

6 En conclusion. Pour vous, quelles fonctions remplissent les loisirs ? Êtes-vous d'accord avec le classement ci-dessous ?

FONCTION

- utilitaire : bricolage, bénévolat…
- culturelle : musique…
- ludique : sports…
- identitaire : atelier de développement personnel…
- conviviale : rencontres…

Avec quelles autres activités complétez-vous chaque catégorie ?

7 Enfin, à quels besoins et envies répondent les loisirs ?

- l'évasion
- la création
- l'expression artistique
- le mouvement
- le contact avec les autres
- la solidarité
- l'harmonie
- l'équilibre
- la détente

Planète jeux

Voici un petit aperçu de jeux francophones. Ressemblent-ils aux jeux de votre pays ?

Le jeu de pichenottes du Québec

Le jeu de pichenottes est pratiqué dans la plupart des familles québécoises et, dans plusieurs régions, il est incorporé aux activités des festivals, carnavals ou autres événements sous forme de tournoi.

Une partie de pichenottes se joue sur un panneau en bois (un mètre carré environ) muni de pochettes aux quatre coins.

Chaque joueur doit y faire tomber toutes les petites rondelles de bois de la couleur qu'il s'est attribuée en début de partie à l'aide d'une autre rondelle qu'il propulse d'une « pichenotte », une poussée du doigt. Le premier à avoir sorti toutes ses rondelles (plus une noire et une blanche qui sont jouées seulement à la fin) gagne la partie.

L'awalé

À l'instar du jeu d'échecs en Occident ou du jeu de go en Asie, le jeu de l'awalé en Afrique est un jeu de réflexion. Il est basé sur le principe de semer pour récolter (on l'appelle parfois le *jeu des semailles*) et son originalité réside dans le fait qu'il faut savoir donner à l'adversaire pour gagner. Originaire du golfe de Guinée, il s'est répandu en Afrique : on y joue au Sénégal et en Côte d'Ivoire, mais également aux Antilles. Et il gagne maintenant l'Europe où certains pays comme la France ou l'Angleterre organisent des tournois. À l'heure actuelle, il existe une version de ce jeu sur le Net.

Le but du jeu est de ramasser le plus de graines possibles. Il y a deux rangées de 6 poches, remplies de 4 graines chacune. Le jeu vous tente ? Vous pouvez vous en fabriquer un avec des boîtes à œufs et des graines.

Jeux télévisés

Les jeux télévisés en France jouissent d'une large audience. Beaucoup sont programmés pendant le week-end mais certains comme « Des chiffres et des lettres » sont diffusés en semaine. Dans cette émission, qui a fait ses débuts en 1965, il s'agit pour les deux candidats qui s'affrontent soit de former le mot le plus long avec des lettres tirées au sort, soit de trouver le bon compte avec des chiffres donnés.

Autre exemple de jeu, « Questions pour un champion ». Si vous êtes rapide et si vous possédez une culture étendue dans plusieurs domaines, vous avez le profil des personnes sélectionnées pour ce jeu qui se déroule en trois manches. Les quatre candidats doivent répondre à une série de questions et le meilleur joueur gagne de l'argent qu'il peut rejouer à l'émission suivante.

À votre tour, présentez des jeux que vous aimez au groupe-classe.

Parler

EXPRESSIONS POUR...

■ **1)** Mettez-vous par groupes de 3, puis cherchez des expressions pour donner votre *avis*.

■ **2)** Présentez-les au reste du groupe, puis établissez ensemble une liste commune.

■ **3)** Maintenant, regardez dans les documents de la leçon, puis ajoutez les expressions qui ne figurent pas sur votre liste.

■ **4)** Sélectionnez les expressions de votre liste que vous utiliseriez dans les cas suivants.
   a) Au commissariat, un commissaire interroge deux témoins d'un accident : un adolescent et une dame âgée.
   b) Dans un bar, un(e) ami(e) vous demande votre avis sur le tourisme d'aventure.

1 Situation.

Par groupes de 3, jouez la scène.

Vous êtes trois ami(e)s dans un vestiaire.
Vous venez de finir un cours de gym ou d'un autre sport.
L'un(e) de vous y a participé pour la première fois.
Les deux autres suivent régulièrement cet entraînement.
Vous n'êtes pas d'accord sur la manière d'envisager ce sport.
Vous parlez de ce que vous venez de faire, de votre professeur,
de vos autres activités de loisirs.

2 Monologue.

1) Choisissez un des personnages suivants et préparez un court monologue sur ses activités de loisirs.

un garagiste, entraîneur de groupes d'enfants

un lycéen, amateur de sports à risque

Pour préparer votre rôle :
– Imaginez le personnage que vous allez jouer (pensez au ton, aux caractéristiques personnelles…).
– Définissez les idées et les opinions de ce personnage.
– Cherchez les mots ou expressions qui vous permettront de les formuler.
– Entraînez-vous avant de jouer la scène.

une infirmière qui a besoin de calme et de détente

2) Expliquez brièvement vos goûts en matière de loisirs pour vous faire connaître du groupe-classe.

Lire

1 Lisez ce texte.

Sondage indicateur de l'activité physique en 2001

Les niveaux d'activité physique au Canada

Selon les estimations actuelles de l'Enquête nationale sur la santé de la population (ENSP), effectuée en 1998-1999, la majorité des Canadiens (55 %) sont physiquement inactifs.

– 57 % des personnes âgées de 18 ans ou plus sont considérées comme n'étant pas suffisamment actives pour en tirer des bienfaits optimaux sur le plan de la santé (Sondage indicateur de l'activité physique en 2001).

– Malgré une approche semblable, des différences de méthode entre l'ENSP et le Sondage indicateur de l'activité physique (SIAP), en particulier sur le plan du comptage, produisent des évaluations différentes de l'inactivité physique dans les résultats des deux sondages. Néanmoins, on peut tirer les mêmes conclusions de l'ENSP et du SIAP, soit :

• le niveau d'inactivité physique a diminué entre la fin des années 1990 et l'année 2001 ;
• la majorité des Canadiens courent encore un risque accru de contracter une maladie chronique ou de décéder prématurément en raison de leur mode de vie inactif ;
• un plus grand nombre de femmes que d'hommes sont inactives et
• l'inactivité physique augmente à mesure que les gens avancent en âge. [...]

Obstacles à la pratique de l'activité physique

Les possibilités, les installations et les programmes offerts en milieu de travail ne peuvent que dans une certaine mesure motiver les employés à faire de l'activité physique s'ils ont l'impression qu'il existe des circonstances telles les suivantes les empêchant d'être physiquement actifs.

• Deux sur cinq Canadiens qui occupent un emploi disent que l'existence de délais serrés constants au travail est un élément important qui les empêche de faire de l'activité physique.
• Deux sur cinq déclarent que le manque de temps attribuable au travail est un obstacle important qui les empêche d'être physiquement actifs.
• Un quart mentionnent que l'absence, près de leur lieu de travail, d'endroits agréables pour marcher, faire de la bicyclette ou se livrer à d'autres activités est un obstacle important à la pratique de l'activité physique.
• Un tiers disent que, dans les rues situées près de leur lieu de travail, la circulation est trop dense pour qu'ils se livrent à la marche ou à la bicyclette sans danger et que c'est un obstacle important qui les empêche d'être physiquement actifs. [...]

Institut canadien de la recherche sur la condition physique et le mode de vie
http://www.cflri.ca

---

2 Répondez aux questions suivantes.

1) De quel genre de texte s'agit-il ? Est-ce un texte complet ?
2) Quel est l'organisme responsable de l'étude ? S'agit-il d'un organisme public ou privé ?
3) Quelles sont les deux sources d'information citées dans le document ? Quels sont leurs points communs et leurs différences ?
4) Combien de parties repérez-vous dans le texte ?
5) D'après vous, pourquoi parle-t-on des *obstacles à la pratique de l'activité physique* ? Quel serait le but d'un paragraphe intitulé *les bienfaits de la pratique de l'activité physique* ?
6) Dans le texte, on peut lire : *57 % des personnes âgées de 18 ans ou plus sont considérées comme n'étant pas suffisamment actives [...]*. Est-ce la même chose que de dire : *43 % des personnes âgées de 18 ans ou plus sont considérées comme étant suffisamment actives [...]* ?
7) Comment quantifie-t-on, dans le texte, les réponses des personnes interviewées ?
8) Que pensez-vous des résultats du sondage présentés dans le texte ? D'après vous, seraient-ils les mêmes dans votre pays ?

Écrire

1 Sondage. Rédigez une enquête afin de connaître les loisirs de votre groupe-classe.

1) Mettez-vous par groupes de 4 ou 5 et choisissez l'un des points suivants.

a) âge, profession, situation familiale…
b) centres d'intérêt
c) motivations pour les loisirs

d) activités de loisirs autres que sportives
e) activités sportives

2) Élaborez cinq questions.

3) Posez vos questions aux autres sous-groupes et répondez à leurs questions.

4) À partir des réponses à vos questions, rédigez la partie du rapport correspondante. Inspirez-vous du rapport que vous avez lu page 22.

5) En gardant l'ordre des points ci-dessus, lisez votre partie du rapport.

POUR VOUS AIDER

■ **Quelques verbes**
dire, mentionner, aimer moins / mieux, préférer, déclarer, affirmer, avoir l'impression (de / que), être convaincu(e) (de / que)

■ **Introduire une opinion**
selon + pronom tonique / nom, *d'après* + pronom tonique / nom, *pour* + pronom tonique / nom

■ **Introduire une autre idée**
par rapport à + nom, *quant à* + pronom tonique / nom, *en ce qui concerne* + nom

---

Réfléchissons ! Répondez à ces questions et justifiez vos réponses.

• Votre texte vous semble-t-il correspondre à celui qu'on vous avait demandé d'écrire ?
• Quelle a été votre participation à l'écriture du texte : vous avez proposé des mots ou expressions, corrigé la grammaire ou l'orthographe…?
• L'écriture collective vous a-t-elle motivé(e) ?
• Avez-vous utilisé des mots ou expressions que vous avez travaillés dans cette leçon ?
• Avez-vous varié les structures grammaticales et le vocabulaire ?
• Avez-vous considéré la correction grammaticale et l'orthographe comme des éléments importants pour votre travail d'écriture ?

Croyez-vous que le texte que vous avez produit ensemble est plus riche que celui que vous auriez écrit individuellement ?

---

2 Vous venez de passer une semaine de vacances au Clubvac. La direction de l'établissement vous propose un petit questionnaire pour connaître votre avis sur le séjour effectué. À la fin du questionnaire, vous trouvez un espace pour vous exprimer librement sur les activités proposées par le club. Vous y répondez.

Votre avis sur nos activités (sports et loisirs) :

_____

_____

Situation > À cheval sur deux siècles

 1 Écoutez une première fois ce document, puis par petits groupes, commentez-le : qui parle ? de quoi ? à qui ? de quelle manière ?

 2 Réécoutez ce document, puis prenez des notes sur les points suivants.

1) Quelles sont les six grandes périodes de la vie de cette femme (avant la période actuelle) ?
2) Quels sont les souvenirs les plus significatifs qu'elle garde de chacune de ces périodes ?
3) Quels événements historiques et sociaux ont le plus marqué sa vie ?
4) Quels progrès sociaux nomme-t-elle même si elle n'en a pas bénéficié ?
5) Quel a été le plus grand désir de sa vie ? L'a-t-elle satisfait ?
6) Quelle période de sa vie a-t-elle préférée ? Pourquoi ?

 3 Repérez dans l'enregistrement les mots ou les expressions correspondant aux mots ou expressions en caractères gras.

a) Je suis née à la fin de la guerre, **la guerre de 14.**
b) Mon mari **voulait absolument que** sa femme reste à la maison.
c) Une sage-femme italienne **a accepté de** venir à la maison.
d) J'ai eu ma première machine à laver en 1951 et **aussi** notre première voiture.

 4 Réécoutez ce document, si nécessaire. Que pensez-vous de la vie de cette femme ? Comment percevez-vous son caractère ?

 5 Préparez à plusieurs la lecture à haute voix de ce récit (transcription, page 151).

La légende des origines

La Bohémienne endormie, le Douanier Rousseau

[...] À l'origine des choses, tout à l'origine, quand rien n'existait, ni homme, ni bêtes, ni plantes, ni ciel, ni terre, rien, rien, rien, Dieu était et il s'appelait Nzamé. Et les trois qui sont Nzamé, nous les appelons Nzamé, Mébère et Nkwa. Et au commencement, Nzamé fit le ciel et la terre et il se réserva le ciel pour lui. La terre, il souffla dessus, et sous l'action de son souffle naquirent la terre et l'eau, chacune de son côté. [...] Quand il eut terminé tout ce que nous voyons maintenant, il appela Mébère et Nkwa et leur montra son œuvre :

« Ce que j'ai fait est-il bien fait ? leur demanda-t-il.

– Oui, tu as bien fait, telle fut leur réponse.

– Reste-t-il encore quelque autre chose à faire ? »

Et Mébère et Nkwa lui répondirent :

« Nous voyons beaucoup d'animaux, mais nous ne voyons pas leur chef ; nous voyons beaucoup de plantes mais nous ne voyons pas leur maître. »

Et pour donner un maître à toutes ces choses, parmi les créatures, ils désignèrent l'éléphant, car il avait la sagesse ; le léopard, car il avait la force et la ruse ; le singe car il avait la malice et la souplesse. Mais Nzamé voulut faire mieux encore, et à eux trois, ils firent une créature presque semblable à eux ; l'un lui donna la force, l'autre la puissance, le troisième la beauté. Puis, eux trois :

« Prends la terre, lui dirent-ils, tu es désormais le maître de tout ce qui existe. Comme nous, tu as la vie, toutes choses te sont soumises, tu es le maître. »

Nzamé, Mébère et Nkwa remontèrent en haut dans leur demeure, la nouvelle créature resta seule ici-bas et tout lui obéissait. [...] Nzamé, Mébère et Nkwa avaient nommé le premier homme Fam, ce qui veut dire la force.

Fier de sa puissance, de sa force et de sa beauté, car il dépassait en ces trois qualités l'éléphant, le léopard et le singe, fier de vaincre tous les animaux, cette première créature tourna mal ; elle devint orgueil, ne voulut plus adorer Nzamé et elle le méprisait :

Yéyé, oh ! la, yéyé.

Dieu en haut, l'homme sur terre !

Yéyé, oh ! la, yéyé.

Dieu, c'est Dieu,

L'homme, c'est l'homme,

Chacun à la maison, chacun chez soi !

Dieu avait entendu ce chant. Il prêta l'oreille : « Qui chante ? – Cherche, cherche, répond Fam. – Qui chante ? – Yéyé, oh ! la, yéyé. – Qui chante donc ? – Eh ! c'est moi » crie Fam.

Dieu, tout colère, appelle Nzalân, le tonnerre : « Nzalân, viens ! »

Et Nzalân accourut à grand bruit : Booû, booû, booû ! Et le feu du ciel embrasa la forêt. Les plantations qui brûlent, auprès de ce feu-là, c'est une torche d'amone. Füi, füi, füi, tout flambait. La terre était comme aujourd'hui couverte de forêts : les arbres brûlaient, les plantes, les bananiers, le manioc, même les pistaches de terre, tout séchait ; bêtes, oiseaux, poissons, tout fut détruit, tout était mort : mais par malheur, en créant le premier homme, Dieu lui avait dit : « Tu ne mourras point. » Ce que Dieu donne, il ne le retire pas. Le premier homme fut brûlé ; ce qu'il est devenu, je n'en sais rien ; il est vivant, mais où ? mes ancêtres ne me l'ont point dit ; [...]

Conte fân / Anthologie nègre
Blaise Cendrars © 1947, Édition Buchet/Chastel

---

1 Écoutez le récit, puis répondez aux questions.

🎧 **1)** Avez-vous aimé ce récit ? Quels sont les éléments qui vous ont plu, déplu, amusé(e) ?

2) De quelle légende s'agit-il ? De quel continent provient-elle ? Quels personnages met-elle en scène ?

3) Connaissez-vous d'autres récits reprenant la même tradition ? De quelles cultures proviennent-ils ? Quelles variantes présentent-ils ?

● Les temps du passé

Relisez les extraits suivants. Repérez les événements qui y sont racontés et rangez-les par ordre chronologique. Quels temps verbaux utilise-t-on pour ce faire ?

a) *À 12 ans, je suis partie au collège, [...] J'espérais devenir institutrice. Après, j'ai passé mon brevet et j'ai été reçue au concours de l'École normale, mais là-dessus je me suis mariée et je suis allée m'installer à Bordeaux parce que mon mari travaillait à l'aéroport de Bordeaux-Mérignac.*

b) *Le jour de l'accouchement, c'est une sage-femme italienne, que mon mari avait fini par localiser, qui a bien voulu venir à la maison.*

c) *Quand mon mari a pris sa retraite, à 61 ans, nous avons pu commencer à voyager.*

Rappelez-vous :

	Imparfait	Passé composé	Plus-que-parfait
Décrire / Évoquer des habitudes.	✔		
Parler de faits ou d'événements ponctuels.		✔	
Marquer l'antériorité par rapport à un temps passé.			✔

▶ LE PASSÉ SIMPLE

Temps du passé par excellence, le passé simple est surtout employé dans la langue écrite (littéraire, historique, journalistique). Il a pratiquement les mêmes valeurs que le passé composé :
- il présente l'action comme un fait achevé dans le passé ;
- il s'oppose à l'imparfait, qui implique une notion de durée.

Comment conjuguer le passé simple ?

DÉCIDER	PARTIR	ÊTRE	OBTENIR
je décidai	je partis	je fus	j'obtins
tu décidas	tu partis	tu fus	tu obtins
il décida	il partit	il fut	il obtint
nous décidâmes	nous partîmes	nous fûmes	nous obtînmes
vous décidâtes	vous partîtes	vous fûtes	vous obtîntes
ils décidèrent	ils partirent	ils furent	ils obtinrent
	conjugaison en [i]	conjugaison en [y]	conjugaison en [ɛ̃]
tous les verbes en -er : chanter, commencer, répéter, aller...	*finir, ouvrir, suivre, écrire, faire, voir, prendre, mettre...*	*devoir, vouloir, savoir, lire, plaire, vivre, courir...*	tous les verbes en -enir : venir, tenir, retenir, appartenir...

1 Lisez ce fait divers, puis présentez de façon chronologique les sept étapes du récit.

Le voleur d'avion s'écrase deux fois dans la même soirée.

Un Américain de 38 ans, qui avait volé un avion bimoteur de type Cessna 337 dans un aéroport local, a trouvé le moyen d'occasionner deux accidents consécutifs. La partie civile a souligné que l'homme en question, John Turner, n'avait pas réussi à faire décoller l'avion, provoquant ainsi un accident en bout de piste.

Lorsque le voleur s'est sorti d'affaire et qu'il a enfin réussi à s'élever dans les airs, il n'a guère pu maintenir l'appareil en altitude plus de quelques dizaines de secondes. Ce sont les clients d'un pub situé à 2 kilomètres de l'aéroport qui, entendant le vacarme produit par la seconde chute de l'avion, sont venus lui porter secours. L'homme est indemne mais il passera devant le tribunal le 22 mars prochain.

Western Golden Star

2 Rédigez le fait divers correspondant au récit suivant.

Une femme rêve d'avoir une permanente à la Julia Roberts. Elle va donc dans un salon de coiffure mais le résultat n'est pas celui qu'elle attend : elle trouve qu'elle ressemble plutôt à un balai. Comme elle considère que le coiffeur a détruit sa vie amoureuse, elle décide de le poursuivre en justice et lui réclame 8 000 dollars de dommages et intérêts.
Voici le début du texte : *Une jeune femme a décidé de poursuivre en justice…*

3 Lisez les textes suivants et repérez les verbes au passé simple. Quel est leur infinitif ? Et leur participe passé ?

Nous quittâmes l'impasse Tarfoune l'année de ma première communion. Depuis longtemps déjà, mon père songeait à louer une chambre plus grande lorsque ma mère fut enceinte à nouveau ; et la situation devenait critique, lorsque l'oncle Aroun, le frère aîné de ma mère, fit construire son immeuble, où nous obtînmes un petit appartement. Mes parents décidèrent d'avancer la date rituelle de ma première communion, pour la faire coïncider avec les fêtes de la naissance et l'inauguration de notre nouvelle demeure.

La statue de sel,
Albert Memmi © Éditions Gallimard

Bien sûr nous eûmes des orages
Vingt ans d'amour c'est l'amour fol
Mille fois tu pris ton bagage
Mille fois je pris mon envol

La chanson des vieux amants,
Jacques Brel

Yuko revint seul de la montagne
Alla vers le nord
Vers la neige.

Il ne se retourna jamais.
Il avança sur le chemin du retour, debout, comme sur un fil tendu entre le sud et le nord du Japon.
Comme un funambule.

Neige,
Maxence Fermine © Éditions ARLÉA

4 Complétez le texte suivant à l'aide des verbes qui vous sont proposés dans le désordre.

arriva / décidèrent / finirent / retrouva / se dirigèrent / se passa / s'ouvrit

Par un beau jour ensoleillé, Éric … (1) à l'école pour une nouvelle journée d'aventures. Il était bien décidé à découvrir la montagne sacrée. Il … (2) Kate qui devait venir avec lui et tous les deux ils … (3) vers l'automobile noire. Ils cherchaient le passage secret et … (4) par le découvrir derrière le faux mur. Mais pour aller plus loin, il fallait connaître le code secret et ni l'un ni l'autre ne le savait. Sans se décourager, ils … (5) d'aller trouver le sage pour l'avoir. Finalement, la porte … (6) et rien d'intéressant ne … (7).

5 Lisez la biographie de Vercingétorix et repérez les principaux événements de sa vie. Puis racontez-la oralement : quel(s) temps du passé allez-vous utiliser ?

Vercingétorix ◆ Chef gaulois (en pays arverne v. -72 - Rome -46). Lors de la révolte gauloise de -52, il entreprit de grouper les Arvernes contre les Romains. Il voulut vaincre les légions dispersées avant que César ne fût revenu d'Italie, mais en quelques semaines celui-ci avait réussi à reprendre partout l'initiative. Ayant subi toute une série d'échecs, Vercingétorix fut réduit alors à adopter la tactique de la terre brûlée. À la demande des Bituriges, il épargna Avaricum (Bourges) ; César prit la ville (mars -52), mais Vercingétorix lui infligea un grave échec devant Gergovie (juin -52) et se fit reconnaître commandant en chef ; les Gaulois se crurent près de la délivrance. Mais en août -52 César écrasa la cavalerie gauloise près de Dijon. Vercingétorix fit retraite dans Alésia avec ses 800 000 hommes et, réduit à la famine, dut capituler après deux mois de siège ; il vint rendre lui-même ses armes à César, fut emmené à Rome pour paraître au triomphe de son vainqueur six ans plus tard et mourut étranglé dans sa prison.

© Petit Robert des noms propres, 2000

La vie au fil des jours

1 Quels substantifs choisiriez-vous, dans les colonnes ci-dessous, pour…
a) faire un récit personnel ?
b) donner des informations objectives ou générales ?

LES ACTEURS
> la famille, les parents, le noyau parental / familial
> le couple, les conjoints, les membres du couple, les époux
> un nouveau-né, un bébé, un nourrisson
> un(e) enfant, un(e) gamin(e), un(e) gosse
> un(e) adolescent(e), un jeune, un jeune homme, une jeune femme, une jeune fille, une fille, un(e) ado
> un(e) adulte, un homme / une femme jeune
> une personne d'âge mûr, une personne d'un certain âge
> une personne âgée, une personne du troisième âge, un vieillard, un(e) vieux / vieille

LES MOMENTS, LES ACTIONS
> la naissance, la natalité
> la croissance, l'enfance, l'adolescence
> la scolarité, les études
> la majorité, l'émancipation, le départ de la maison
> la recherche d'un emploi
> le mariage, la noce, la nuptialité
> la cohabitation, la vie à deux, le Pacs
> la grossesse, la gestation, l'accouchement
> les soins parentaux, l'éducation
> l'âge mûr, le vieillissement, la vieillesse
> la retraite
> la mort, le décès, le deuil

2 Quelques cérémonies et rites qui jalonnent les moments de la vie :

le baptême, la circoncision, les fiançailles, le mariage (civil, religieux), le Pacs, les obsèques, les funérailles

Où se déroulent ces cérémonies ? Qui y participe ? Aimeriez-vous ajouter d'autres rites à cette liste ?

3 Voici quelques épreuves qui peuvent parfois survenir pendant…

L'ENFANCE : l'abandon, l'orphelinat, la maltraitance, le handicap, la garde alternée
L'ÂGE ADULTE : la stérilité, la fausse couche, l'avortement, la séparation, le divorce, le veuvage
LE TROISIÈME ÂGE : la vieillesse, la solitude, l'isolement, la maladie

Quels événements favorables aimeriez-vous mentionner ?

4 Plusieurs séries d'expressions pour parler des sentiments qui accompagnent les grands moments de la vie :

> tomber / être amoureux(se) (de), avoir un coup de foudre (pour), s'attacher (à)
> se réjouir (de), se sentir / être heureux (grâce à, de), se sentir / être satisfait(e) (de), être aux anges
> être préoccupé(e) (par), s'inquiéter (pour), se faire du souci (pour, à cause de)
> entourer (quelqu'un), donner de l'affection / de la tendresse (à), s'occuper (de), veiller (sur), se sentir / être proche (de)
> être jaloux(se) (de), être mécontent(e) (de), être peiné(e) (par), être malheureux(se) (à cause de), éprouver du chagrin (à cause de)
> être en désaccord (avec), ne pas s'entendre (avec), se fâcher (avec), avoir une altercation / dispute, se disputer / se quereller (avec)

Et pour que tout finisse bien !
> faire le premier pas, se rapprocher (de), faire la paix (avec), se réconcilier (avec), pardonner (à)

5 Imaginez leur histoire. Racontez les événements qui ont marqué leur vie.

6 Voici des expressions utiles pour comprendre des textes abordant des questions de société. Mettez en relation les expressions ayant le même sens.

1) voir s'accroître / diminuer la population (active,…)
2) être né(e) sous X
3) vivre dans une famille monoparentale
4) vivre dans une famille éclatée
5) vivre dans une famille recomposée
6) vivre dans une famille d'accueil
7) jouir de l'autorité parentale
8) surveiller sa santé
9) bénéficier d'un suivi médical
10) recevoir un héritage
11) être placé(e) dans une maison de retraite

a) prendre soin de sa forme physique
b) recevoir un patrimoine laissé par une personne décédée
c) être né(e) de mère inconnue
d) être suivi(e) régulièrement par un médecin
e) vivre dans une cellule familiale éclatée
f) voir augmenter / baisser la population
g) aller dans une résidence pour personnes âgées
h) vivre dans une famille formée par son père / sa mère et sa nouvelle compagne / son nouveau compagnon
i) vivre dans une famille en attendant d'être adopté(e)
j) recevoir légalement le droit de tutelle
k) vivre dans une famille composée d'un seul parent

Famille, je vous aime !

Quelques définitions du mot *famille* :

Définition 1

FAMILLE 1♦ La plus élémentaire et la plus naturelle des sociétés humaines : les personnes de même rang, vivant sous le même toit et plus particulièrement, le père, la mère et les enfants. **2♦** L'ensemble des personnes d'un même sang.

Maurice Lacharte, © *Nouveau Dictionnaire Universel*

Définition 2

FAMILLE 1♦ (Sens restreint) Les personnes apparentées vivant sous le même toit. **2♦** (Sens large) L'ensemble des personnes liées par le mariage et par la filiation ou, exceptionnellement, par l'adoption. **3♦** Succession des individus qui descendent les uns des autres, de génération en génération.

© *Petit Robert de la Langue Française, 2000*

La famille en 2001 :

14 % des familles avec enfants des 15 pays de l'Union Européenne sont monoparentales (1996) : leur nombre a augmenté de 58 % entre 1983 et 1996. La proportion la plus élevée est celle du Royaume-Uni (23 %) : la plus faible est celle de la Grèce (7 %). La France se situe dans la moyenne (14 %). Plus de huit parents sur dix sont des femmes (84 %) : 12 % ont au moins trois enfants à charge.

G. Mermet, *Francoscopie 2001*
© *Larousse 2000*

1 Quels commentaires vous inspirent les définitions et les données ci-dessus ? Qu'indiquent-elles en ce qui concerne l'évolution de la famille ?

2 Que pensez-vous de l'évolution de la famille dans votre pays ? Va-t-elle dans le même sens que l'évolution de la famille en France ?

3 Quels sont les principaux changements que vous observez dans votre famille ou dans celles que vous côtoyez ? Que pensez-vous de ces changements ?

Voici quelques tendances que *Francoscopie* observe en ce qui concerne la famille française en ce début de XXIᵉ siècle.

Pour les jeunes

▶ Accroissement des naissances (en 2001, le nombre moyen de naissances par femme est remonté à 1,9).

▶ Précocité de l'adolescence et passage à l'âge adulte plus tardif.

▶ Moindres différences entre garçons et filles (convergence croissante entre les modes de vie).

▶ Éloignement par rapport aux institutions et aux valeurs traditionnelles.

▶ La tribu est au centre de la vie des ados (l'univers des adolescents est complexe, très segmenté en fonction de leur appartenance à des cultures et à des groupes différents, voire contradictoires).

▶ Relations plutôt bonnes entre enfants et parents ; développement et inversion des solidarités familiales (les grands-parents aident les petits-enfants ; la famille se substitue à l'État et aux institutions).

Pour les couples

▶ Mariages plus nombreux depuis 1996 (4,9 mariages pour 1000 habitants ; la proportion de mariages mixtes ou entre étrangers diminue depuis 1996).

▶ Mariages plus tardifs (en 1998, les femmes célibataires se sont mariées à 27,7 ans en moyenne).

▶ Unions libres plus fréquentes et durables (1 couple sur 6 n'est pas marié en 1998 et plus de la moitié des premières naissances se produit hors mariage).

▶ Rapports plus égalitaires dans le couple (accroissement du rôle de la femme, recherche identitaire de la part des hommes).

▶ Nouvelles formes de vie en couple (recours au Pacs*, accroissement du nombre de couples non-cohabitants : 16 % des couples concernés, au début de leur vie conjugale).

▶ Divorces de plus en plus nombreux (un peu plus de 2 divorces pour 1000 habitants ; les remariages sont de plus en plus nombreux ; les divorces au bout de 30 ans de mariage sont trois fois plus nombreux en 2001 qu'en 1980).

*Le Pacs (Pacte Civil de Solidarité) : loi adoptée en 1999, qui permet à deux personnes majeures, non mariées, non apparentées, de sexes différents ou de même sexe, d'organiser leur vie commune.

Pour les personnes âgées

▶ Vieillissement de la population (12,5 millions de Français âgés d'au moins 60 ans au 1er janvier 2004 contre 9,2 millions en 1982).

▶ Amélioration continue de l'état de santé (état de santé des personnes de 80 ans comparable à celui des personnes de 70 ans, il y a 20 ans).

▶ Amélioration du niveau de vie (la retraite est cependant sur le point d'être modifiée et il est probable que cette donnée sera à revoir à partir de 2006).

4 Par petits groupes, choisissez deux ou trois des tendances présentées, commentez-les en comparant la situation décrite à celle de votre pays ou d'autres pays. Résumez vos commentaires en grand groupe.

Écouter

Regards sur le couple. Les personnes que vous allez entendre vont donner leur avis sur certains aspects de la vie à deux.

1 Écoutez l'enregistrement, puis dites combien de personnes répondent au journaliste et sur quels aspects de la vie en couple.

2 Réécoutez le document, puis répondez aux questions.
Première partie :

1) À votre avis, quelle a été la première question posée à ces trois personnes ?
2) Quel est le point de vue du premier homme et quelle est sa conclusion ?
3) Quelle réponse la jeune femme donne-t-elle à cette question ?
4) Qu'est-ce qu'elle trouve grave ?
5) De qui parle-t-elle et pourquoi ?
6) Qu'est-ce qui lui semble important par rapport au problème posé ?
7) Quel est l'avis du deuxième homme et comment se justifie-t-il ?
8) Ces trois personnes ont-elles le même avis sur le sujet ?

Deuxième partie :

1) Le premier homme répond-il précisément au deuxième point abordé ?
2) Qu'implique pour lui le fait de dire la vérité ?
3) La jeune femme partage-t-elle sa façon de voir ?
4) Quelle conséquence peut avoir selon elle le fait de dire la vérité ?
5) Quelle est la position de l'autre homme ? Quel exemple utilise-t-il pour illustrer ce qu'il dit ?

3 À vous de donner votre avis. Par petits groupes, répondez aux questions et présentez vos arguments à la classe.

EXPRESSIONS POUR...

■ Quelles expressions avez-vous utilisées pour exprimer votre opinion ?
Recherchez dans la leçon d'autres expressions pour...

• exprimer un jugement positif ou négatif.
• impliquer le(s) interlocuteur(s)

Donner une appréciation positive ou négative	Impliquer son interlocuteur
Tu devrais / Vous devriez… + infinitif	*Là, je ne sais pas, voyez-vous…*
Ça fait du bien.	*Savez-vous que…*
Le meilleur souvenir, c'est…	*Si vous voulez, moi…*
C'est dangereux !	*Je vais vous / te dire autre chose…*
Ça prend beaucoup de temps !	*Toi qui sais…*
On dit que c'est bon / mauvais pour…	*Tu te rends compte ! ?*
Moi, à ta / votre place, je + conditionnel…	*Tu parles !* (fam.)
Je t'assure, c'est excellent !	*Tu t'imagines ?*
Il n'y a rien de meilleur / pire !	*Tu vois bien que / Vous voyez bien que…*
C'est pas sûr !	*Tu me suis ? / Vous me suivez ?*
Ce qui est merveilleux / horrible, c'est que…	*Tu saisis ? / Vous saisissez ?*
Il est évident que…	*Tu piges ?* (fam.)

4 Comment interprétez-vous cette phrase : « Si on dit la vérité, il faut courir avec elle. » ? Êtes-vous d'accord avec cette expression employée par le jeune homme ? Dans quelles circonstances ?

5 Écoutez cette chanson, puis répondez aux questions.

La marche nuptiale

Mariage d'amour, mariage d'argent
J'ai vu se marier toutes sortes de gens
Des gens de basse source et des grands de la terre
Des prétendus coiffeurs, des soi-disant notaires.

Quand même je vivrais jusqu'à la fin des temps
Je garderais toujours le souvenir content
Du jour de pauvre noce où mon père et ma mère
S'allèrent s'épouser devant monsieur le Maire.
C'est dans un char à bœufs, s'il faut parler bien franc
Tiré par les amis, poussé par les parents
Que les vieux amoureux firent leurs épousailles
Après long temps d'amour, long temps de fiançailles.

Cortège nuptial hors de l'ordre courant
La foule nous couvait d'un œil protubérant
Nous étions contemplés par le monde futile
Qui n'avait jamais vu de noces de ce style.

Voici le vent qui souffle emportant, crève-cœur
Le chapeau de mon père et les enfants de chœur
Voilà la pluie qui tombe en pesant bien ses gouttes
Comme pour empêcher la noce, coûte que coûte.

Je n'oublierai jamais la mariée en pleurs
Berçant comme une poupée son gros bouquet de fleurs
Moi, pour la consoler, moi, de toute ma morgue
Sur mon harmonica jouant les grandes orgues.

Tous les garçons d'honneur, montrant le poing aux nues
Criaient : « Par Jupiter, la noce continue ! »
Par les homm's décriée, par les dieux contrariée
La noce continue et Viv' la mariée !

Georges Brassens © Universal Music Publishing SAS

1) Qu'y a-t-il d'exceptionnel dans ce mariage ?
2) Pourquoi la mariée pleure-t-elle le jour de ses noces ?
3) Aimez-vous cette chanson ?

4) Cette chanson est-elle, selon vous, le prototype de la chanson française ?
5) Connaissiez-vous Georges Brassens ?

Parler

1 Situations. Par groupes de 2, jouez les scènes.

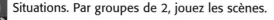

a) Une jeune fille qui adore la nature rentre de vacances. Elle rencontre un(e) ami(e) qui devait l'accompagner, mais qui n'a pas pu le faire. Il / Elle lui demande comment ça s'est passé, où elle est allée, ce qu'elle a fait, qui elle a rencontré.

b) Un jeune homme vient d'avoir un ennui avec sa moto. À son arrivée chez lui, sa sœur lui trouve un air bizarre. Elle lui demande ce qu'il a et il lui explique ce qui lui est arrivé.

2 Monologue.

Après une courte préparation, racontez brièvement la vie d'une personne de votre famille ou de quelqu'un dont vous avez entendu parler (aidez-vous si nécessaire de la transcription du récit À *cheval sur deux siècles*, page 151).

3 Conversation.

Par groupes de 3, vous abordez le thème suivant : « Un des moments les plus importants ou les plus difficiles dans la vie ».

Lire

1 Lisez la BD ci-contre, puis identifiez les personnages, les lieux, les actions, les informations importantes pour la suite de l'histoire.

2 Pour affiner votre compréhension du texte, choisissez le synonyme qui correspond aux mots suivants.

1) flemme :	a) grande paresse	b) feu	c) passion
2) livre de chevet :	a) de librairie	b) de prédilection	c) de spécialiste
3) ressasser :	a) réussir	b) dissimuler	c) répéter
4) cloîtré :	a) enfermé	b) caché	c) éloigné
5) s'étoffer :	a) déprimer	b) se développer	c) s'amuser
6) approche :	a) manière d'aborder	b) proximité	c) distance

3 Vous êtes le / la scénariste de cette BD. Écrivez la suite (8 à 10 bulles).

POUR ÉCRIRE UN TEXTE...

■ **1)** Lisez bien les consignes du texte à écrire pour déterminer qui écrit, à qui, dans quel but et quelles sont les formules adaptées au texte à produire. Consultez des textes modèles si nécessaire.

■ **2)** Avant de vous mettre à écrire, prenez quelques minutes pour organiser votre texte : le structurer et prévoir un début et une fin.

■ **3)** Pour votre rédaction, évitez les répétitions et utilisez un vocabulaire varié et précis. Aidez-vous du dictionnaire et vérifiez l'orthographe des mots dont vous n'êtes pas sûr(e), enrichissez les structures grammaticales en introduisant les éléments nouveaux que vous venez d'apprendre.

■ **4)** Après avoir rédigé votre texte, prenez le temps de le relire afin de corriger vos fautes d'étourderie et celles que vous faites fréquemment. Vérifiez que votre texte est compréhensible et qu'il correspond à ce qu'on vous a demandé.

PHENOMENUM, Kaminka et Vedrines © Éditions GLÉNAT

1 Choisissez l'option qui convient (a, b, c) pour compléter le texte suivant.

Jean-Paul Guerlain s'en va

« Mes parfums ont tous été créés pour une femme. »

Son nom exhale à lui seul les fragances les plus mémorables. Jean-Paul Guerlain se … (1), après un demi-siècle de création. À cette occasion, il nous confie … (2) des secrets de son art et de l'histoire de la maison. Passionnant et inspiré. Le jour de ses 65 ans, Jean-Paul Guerlain … (3) son départ à la … (4). Il était la figure emblématique et le gardien des fragances les plus prestigieuses du monde. Depuis ses 18 ans, il … (5) quarante-trois parfums et su pérenniser l'esprit artisanal d'une maison presque deux fois centenaire. Peut-être le secret des parfums Guerlain réside-t-il dans … (6) point de départ : une émotion, la démarche d'une femme, au lieu d'une étude de marketing. Peut-être encore que leur réussite est la rançon de l'exigence : utiliser toujours les … (7) matières premières, quel que soit leur … (8). Peut-être aussi que tout est affaire d'atavisme. Savoir transmettre son savoir-faire, et aussi le garder, comme en témoigne, caché dans son coffre-fort, le grand livre des 720 recettes de parfums (dont … (9) n'ont été créés que pour une seule femme, pour une seule soirée). Avec émotion, Jean-Paul Guerlain raconte son travail, sa passion.

ELLE. Vous venez d'annoncer votre départ à la retraite. Quel est votre état d'esprit aujourd'hui ?

JEAN-PAUL GUERLAIN. Je pars sans … (10), mais avec peut-être un peu de nostalgie. À 65 ans, il faut savoir laisser la place à d'autres, même si … (11) décision n'a été prise quant à ma … (12). Je vais pouvoir m'occuper davantage de mes trois petits-enfants, monter à cheval tous les jours et vivre … (13) souvent possible dans ma maison sur l'île de Mayotte, aux Comores. […]

ELLE. Comment avez-vous découvert votre … (14) ?

J-P G. Je n'étais pas censé devenir parfumeur, c'était mon frère aîné, Patrick, … (15) devait l'être, car, dans la famille, le droit d'aînesse prédominait. Mais j'avais des problèmes de vue, au point d'être quasiment aveugle. Mon grand-père, Jacques Guerlain, qui était un homme assez discret, pas toujours facile, m'a pris sous son aile. Ne pouvant ni lire ni écrire, il ne me restait pas beaucoup d'autres … (16) que celui de sentir ses mouillettes ou encore de m'amuser à reconstituer avec lui les parfums … (17) maisons. À l'époque, les recettes … (18) encore des secrets d'État, contrairement à aujourd'hui où les parfumeurs voguent de marque en marque, en emportant avec eux les formules. Durant l'hiver 1956, tout avait gelé. Un préparateur a jeté par erreur un petit paquet d'essence de jonquille. Drame. Mon grand-père m'a dit pour plaisanter : « Tu peux essayer de me faire une jonquille, toi qui t'intéresses à la parfumerie… ». Le résultat était si convaincant que mon grand-père a cru que … (19) le paquet ! Il m'a obligé à peser la formule devant lui. Le jour même, il a téléphoné à mes parents pour … (20) annoncer que ce ne serait pas Patrick qui entrerait dans la maison mais moi ! […]

© Anne DIATKINE pour ELLE 28/01/2002

1)	a) retraite	b) retire	c) jubile
2)	a) quelques-uns	b) quelques	c) plusieurs
3)	a) avait annoncé	b) a annoncé	c) annonçait
4)	a) allocation	b) pension	c) retraite
5)	a) a imaginé	b) imaginait	c) imaginas
6)	a) un	b) son	c) leur
7)	a) mieux	b) meilleures	c) meilleurs
8)	a) coût	b) cou	c) coup
9)	a) toutes	b) certains	c) quelques
10)	a) satisfaction	b) amertume	c) plaisir
11)	a) la	b) une	c) aucune
12)	a) hérédité	b) héritage	c) succession
13)	a) les plus	b) le plus	c) plus
14)	a) attirance	b) mission	c) vocation
15)	a) qui	b) que	c) qu'il
16)	a) ennuis	b) loisirs	c) passe-temps
17)	a) d'autres	b) des autres	c) les autres
18)	a) ont été	b) étaient	c) avaient été
19)	a) je retrouverais	b) j'ai retrouvé	c) j'avais retrouvé
20)	a) les	b) leur	c) lui

OBJECTIFS

▶ Comprendre des émissions radiophoniques informatives (économiques et sociales).

▶ Comprendre une conférence (thème social).

▶ Comprendre un conte.

▶ Intervenir dans des conversations sur des sujets sociaux et politiques actuels (registres standard et familier).

▶ Comprendre un débat sur la politique sociale actuelle. / Y participer.

▶ Détecter, dans un discours, les marques de l'oralité.

▶ Comprendre des articles d'opinion.

▶ Comprendre / Écrire une lettre de protestation à un organisme officiel.

▶ Utiliser des stratégies pour parler en public (monologues).

Situation 1 > **Flash infos**

 1 Écoutez ces informations à la radio. Sur quels sujets portent-elles ?

 2 Répondez aux questions suivantes.

Première info :

a) Quels sont les chiffres cités ? À qui et à quoi font-ils référence ? Connaît-on leur source ?

b) Qui va-t-on entendre à la fin du journal ?

Deuxième info :

a) Quelles sont les villes citées ? Pour quelle raison sont-elles citées ?

b) Quel effet a eu la nouvelle ?

Troisième info :

a) Quels sont les chiffres cités ? À qui et à quoi font-ils référence ?

b) À quoi est due la situation ?

c) De quelle manière réagit la personne interviewée ? Que dit-elle ?

VU : emplois dans le collimateur...

Vivendi Universal (VU) envisage des suppressions d'emplois dans ses sièges de Paris et de New York, sur la recommandation d'un cabinet indépendant qui conseille de couper 40 % des postes.

« On étudie depuis plusieurs mois la façon dont pourrait évoluer l'organisation du siège, mais rien n'est encore décidé », a précisé hier à Libération un porte-parole du groupe, après la révélation, hier, de l'audit par le Wall Street Journal. Le plan, présenté au groupe la semaine dernière, suggère la suppression de 130 postes sur 200 à New York et de 100 sur 370 à Paris.

© Le Quotidien, 30 juillet 2003

Mobilisation exceptionnelle contre le projet sur les retraites

La France a connu hier une mobilisation sans précédent depuis la fronde contre le projet Juppé de 1995. Un mouvement de grève reconductible début juin si le gouvernement persiste.

Transports paralysés, manifestations imposantes, grèves très suivies : les salariés se sont mobilisés massivement hier contre le projet gouvernemental de réforme des retraites.

C'est dans la rue que la démonstration de force a été la plus spectaculaire (de 800 000 manifestants selon la police à 1,7 million, selon les syndicats) dépassant les espérances des syndicats avant la réunion à laquelle le ministre des Affaires sociales, François Fillon, les a conviés aujourd'hui. [...]

© L'indépendant 14 mai 2003

PAC : les eurodéputés opposés à la réforme

Le Parlement européen penche du côté des opposants (la France et l'Espagne étant les plus virulents) au projet actuel de la commission européenne sur la réforme de la Politique Agricole Commune (PAC) en rejetant l'idée phare du projet de couper, à partir de 2004, tout lien entre les aides directes aux agriculteurs et la production. L'avis du parlement européen sur la réforme de la PAC n'est que consultatif. Les ministres européens doivent se concerter à partir du 11 juin sur ce dossier (d'après AFP).

© Le Quotidien, 25 juin 2003

3 Lisez et comparez chaque article de la page ci-contre avec les infos que vous venez d'écouter.

1) Quels points des infos radio n'apparaissent pas dans la presse écrite ?
2) Quelles informations supplémentaires apportent les articles ?

Situation 2 > **Les Camions du Cœur**

 1 Écoutez ce dialogue, puis répondez aux questions suivantes.

1) Où sont les personnes qui parlent ?
2) Quelle est leur relation et qu'apprenez-vous sur elles ?
3) Sur quel sujet porte leur conversation ?
4) Qui sont Jacques et René ?

2 Dites si les affirmations suivantes sont vraies ou fausses, puis justifiez vos réponses.

1) La nouvelle surprend Manou car elle a vu son interlocuteur peu de temps avant.
2) Le changement dans l'entreprise concernait directement René.
3) L'homme qui parle n'a pas été trop étonné par la réaction de René.
4) Il a réussi à trouver du travail pour son ami.
5) Il a accepté une activité où il devait se déplacer en fonction des besoins de l'association.
6) Il ne fait pas toujours la même chose car il partage cette occupation avec trois autres personnes.

 3 Repérez dans l'enregistrement les mots ou expressions correspondant aux mots ou expressions en caractères gras.

a) Je crois que je suis parti **au moment où il le fallait.**
b) Quelle est **la relation** avec ton histoire de bénévolat ?
c) Je te jure que depuis que je fais l'accompagnateur, **j'en suis très satisfait.**

4 Comment comprenez-vous ces expressions familières employées par les interlocuteurs ?

a) C'est chic de ta part !
b) Et puis ça tombait très bien.
c) Moi, j'étais partant !

La place des pronoms compléments

Rappelez-vous :

▸ **PRONOMS COD**

	SINGULIER	PLURIEL
1re	me / m' / moi*	nous
2e	te / t' / toi*	vous
3e	le / la / l'	les

* avec des verbes à l'impératif

▸ **PRONOMS COI**

	SINGULIER	PLURIEL
1re	me / m' / moi*	nous
2e	te / t' / toi*	vous
3e	lui	leur

* avec des verbes à l'impératif

Un seul pronom : à quelle place ?

- verbe à un temps simple : *Vous démarrez une demi-heure plus tôt aujourd'hui, il t'expliquera ça.*
- verbe à un temps composé : *Ça alors ! [...] Et tu (ne) nous as rien dit !*
- avec 2 verbes : *On veut nous mettre en concurrence.*
- verbe à l'impératif affirmatif : *Laissez-moi finir, s'il vous plaît !*
- verbe à l'impératif négatif : *Écoutez. Ne me coupez pas si vite !*

Deux pronoms : dans quel ordre ?

Observez les phrases suivantes, puis repérez les pronoms compléments. Quels mots remplacent-ils ?

René, mon pote d'atelier. Tu t'en souviens ?
Pourquoi tu nous l'avais pas dit ?
Tu sais, on nous en envoie des gens
dans des situations critiques !
Je t'emmène à la manif. Je te le promets.
Anne-Marie aussi m'a demandé de l'y amener,
mais il n'y a pas de place pour tout le monde.
Ne t'inquiète pas, je le lui dis ce soir.

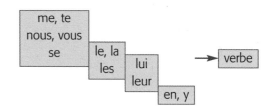

Attention ! **Si le verbe est à l'impératif affirmatif, l'ordre est différent !**

Remplissez ce formulaire et remettez-le-moi
avant la fin de la matinée.
Si vous n'avez pas votre passeport sur vous,
ne vous en faites pas. Envoyez-m'en une
photocopie par fax dans le courant de la semaine.

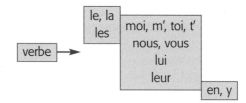

1 Remettez les éléments dans le bon ordre.

1) occuper / toute / ne / en / veut / elle / seule / pas / s'
2) ne / t' / beaucoup / y / intéresses / pas / tu
3) la / matin / je / leur / demain / annoncerai
4) tu / as / vivement / lui / le / conseillé
5) offerte / lui / nous / anniversaire / la / en / avons / pour / cadeau / son
6) ne / donne / pas / la / je / je / te / te / prête / la
7) le / vite /dis / possible / le / plus / lui
8) l' / avec / me / a / deux / retard / rendue / il / de / semaines

2 Remplacez le(s) complément(s) souligné(s) par un pronom, puis placez-le(s) au bon endroit.

1) Il me donne <u>mon cadeau d'anniversaire</u>.
2) Vous écrivez <u>des cartes</u> <u>à vos amis</u> pendant les vacances.
3) Alice leur prête <u>sa trottinette</u> ? C'est étonnant !
4) Les enfants rangent <u>leurs livres</u> <u>dans le placard</u>.
5) Super ! Tu as résolu <u>notre problème</u>.
6) Ne cherche plus le sel, je t'ai déjà dit qu'il n'y a plus <u>de sel</u>.
7) Donne <u>les clés</u> <u>à ton père</u>.
8) Ne laisse pas <u>les livres</u> <u>sur la table</u> ! Range-les.

L'expression du temps

Pour situer une action, un événement ou une situation dans le temps, il faut tenir compte du moment où se situe le locuteur par rapport à ce dont il parle.

▸ LA DATE / LE MOMENT

*La France a connu **hier** une mobilisation sans précédent. Le point **dans un instant** et entretien **à la fin de ce** journal. Le plan, présenté au groupe **la semaine dernière**, suggère la suppression de 130 postes.*

a) Le locuteur raconte quelque chose qui se déroule au moment où il parle.

	moment antérieur	moment présent	moment postérieur
PRÉCIS	hier hier matin / soir / après-midi la semaine / l'année dernière le mois dernier il y a deux jours / six mois que…	aujourd'hui ce matin, ce soir, ce mois-ci cet après-midi cette semaine, cette année…	demain demain matin / soir / après-midi la semaine / l'année prochaine le mois prochain dans deux jours / six mois…
IMPRÉCIS	autrefois, avant, jadis…	maintenant, actuellement, en ce moment…	dans quelques années, bientôt…

b) Le locuteur rapporte un fait passé ou parle de l'avenir.

	moment antérieur	moment donné	moment postérieur
	la veille la veille au matin / au soir la semaine / l'année d'avant, précédente le mois d'avant, précédent deux jours / six mois avant, plus tôt…	ce matin-là, ce soir-là, ce jour-là, ce mois-là cet après-midi-là cette semaine-là, cette année-là…	le lendemain le lendemain matin / soir / après-midi la semaine / l'année d'après, suivante le mois d'après, suivant deux jours / six mois après, plus tard …

▸ LA FRÉQUENCE

*Il leur fallait un bénévole **trois fois par semaine**.*
***Chaque fois que** je le vois, je lui parle de mon salaire.*
*Nous participons **rarement / souvent / de temps en temps** aux assemblées.*
***Tous** les lundis, nous programmons la semaine.*

▸ LA DURÉE

AVEC POINT DE REPÈRE		SANS
dans le passé	dans le futur	
depuis, il y a, ça fait … que	dans, d'ici à, jusqu'à…	pendant, pour, en

▸ LE DÉBUT ET LA FIN

PRÉPOSITIONS		CONJONCTIONS	
début	fin	début	fin
dès, depuis, à partir de	jusque / jusqu'à / en	dès que, depuis que	jusqu'à ce que (+ subjonctif)
de … à / depuis … jusque		(+ indicatif)	

*Les ministres européens doivent se concerter **à partir du** 11 juin sur ce dossier. Je te jure que **depuis que** je fais l'accompagnateur, j'y trouve mon compte.*

---

3 Choisissez l'indicateur temporel qui convient pour compléter ces phrases.

1) Tu n'es pas venue nous voir … l'anniversaire de ta mère.
2) Ils ont annoncé la restructuration … son départ à la retraite.
3) … je travaille avec les Camions du Cœur, je me sens mieux dans ma peau.
4) La réunion de ce matin-là avait été convoquée la semaine … mais personne n'y avait assisté.
5) Le plan présenté au groupe … 10 jours suggère la suppression de 50 postes.
6) Nous nous sommes réunis … 2 heures mais cela n'a servi à rien. Nous serons en grève … minuit.

Façons d'agir, façons de réagir

Le monde du travail, un monde en évolution, un monde en ébullition.
Parmi les multiples transformations que connaît de nos jours le monde du travail, on trouve surtout la délocalisation et la privatisation.

1 Le secteur dans lequel vous travaillez a-t-il subi des transformations ces dernières années ? De quel genre ? Quelles en ont été les répercussions sur les travailleurs ?

2 Qu'est-ce qui est à l'origine des conflits dans les entreprises de votre pays ? Quelles sont les causes du mécontentement actuel des travailleurs ? Donnez des exemples.

les licenciements	le harcèlement moral / sexuel	la dégradation des conditions de travail
la réduction des effectifs	la discrimination	la diminution du pouvoir d'achat
la précarité de l'emploi	le gel des salaires	la suppression de certains acquis

3 Comment y réagir… et par quelles actions concrètes ?   Qui intervient ?

négocier	des négociations	les salariés
protester	des pourparlers	le directeur des ressources humaines
revendiquer	un recours en justice	le délégué du personnel
s'organiser	une mobilisation	le porte-parole du gouvernement
manifester	une grève	les prud'hommes
convoquer une assemblée	une occupation des locaux	le syndicat
	une manifestation	le comité de soutien
	une pétition	*Le syndicat est souvent le principal interlocuteur face au patronat.*

4 Associez chaque sigle à sa signification.

CGT   CFDT
FO   G
E   CFTC

Confédération générale du travail
Confédération française des travailleurs chrétiens
Confédération française démocratique du travail
Force ouvrière
Confédération française de l'encadrement
Confédération générale des cadres

5 Qui, selon vous, a pu prononcer ces phrases ? Choisissez un verbe dans la liste pour rapporter chaque propos, puis construisez les phrases.

« La mobilisation a été exceptionnelle. »　　　　　　　　estimer
« Si la réunion n'aboutit pas à un accord, nous poursuivrons notre action. »　　affirmer
« Je suis prêt à rediscuter. »　　　　　　　　déclarer
« Ce n'est pas la rue qui gouverne. »　　　　　annoncer
« Il y a 800 000 manifestants. »　　　　　　souligner
« Il nous faudra supprimer des emplois. »　　préciser
« Notre usine est en faillite. »　　　　　envisager
« Nous avons gagné la bataille de peu, mais nous l'avons gagnée. »　　prévoir

Question de solidarité

« *Désormais, la solidarité la plus nécessaire est celle des habitants de la terre.* » Albert Jacquard

Être solidaire, mille manières de faire

LUTTER POUR LA BONNE CAUSE...
s'impliquer
s'engager
soutenir ou aider
défendre une cause
partager
participer à la vie associative
échanger

contre l'exclusion
contre le racisme
contre la discrimination
contre l'illettrisme
contre la misère / la pauvreté
pour la réinsertion, l'intégration
pour le tiers-monde ou le quart-monde...

6 Quelles autres causes peut-on défendre ? De quelle manière ? Lesquelles vous semblent prioritaires dans la société où vous vivez ?

Devenez bénévole !

En étant bénévole de proximité, vous pouvez apporter soutien, réconfort, aide, conseils et écoute aux personnes en difficulté qui vivent près de vous.

Et pour résoudre les problèmes de fonds, vous pouvez faire un don, une collecte, organiser une campagne ou un spectacle au profit de..., parrainer quelqu'un...

Les syndicats et la vie associative en France

Les syndicats

Les syndicats sont reconnus en France depuis 1884, mais il a fallu attendre 1968 pour que l'exercice du droit syndical dans l'entreprise soit légalisé.

La CGT : tendance communiste, surtout présente dans les secteurs de l'industrie.

La CFDT : courant socialiste autogestionnaire, surtout présent dans les secteurs de la santé, la métallurgie, le commerce, l'Éducation nationale.

FO : née d'une scission de la CGT, surtout présente dans les services publics, les transports, la Poste, France-Télécom, la métallurgie.

CFE-CGC : surtout implantées dans les grandes entreprises industrielles.

La CFTC : courant démocrate chrétien présent dans l'enseignement privé, les services sociaux et les collectivités locales.

La Vie à Défendre

Selon les chiffres du BIT (Bureau International du Travail), publiés en 1997, 9,1 % des salariés adhèrent à une organisation syndicale en France. Ce taux est l'un des plus faibles des pays industrialisés.

1 Connaissez-vous tous ces syndicats ?

2 Retrouve-t-on dans votre pays les mêmes tendances politiques au niveau des syndicats ?

3 Quelle(s) raison(s) voyez-vous au faible pourcentage de syndiqués en France ?

4 La situation syndicale est-elle différente dans votre pays ?

La vie associative et la solidarité

Dans le domaine de la vie associative, on observe, depuis quelques années, un déplacement des centres d'intérêt : on compte plus de nouveaux adhérents dans les associations liées aux loisirs que dans celles qui agissent pour la défense des intérêts collectifs. Mais dans ces dernières, certaines associations (droit au logement pour les SDF, contre le racisme…) tendent à un militantisme dur : elles organisent des actions spectaculaires et des opérations commandos afin d'intéresser les médias, cette couverture médiatique leur permettant aussi d'éviter des interventions musclées de la police.

En matière de solidarité, les dons d'argent à des associations ont tendance à diminuer alors que le nombre de personnes qui font don de leur temps augmente : actuellement, une personne sur quatre exerce une activité bénévole. La solidarité connaît aussi de nouvelles formes comme, par exemple, le parrainage qui se développe de plus en plus.

✚ CROIX-ROUGE FRANÇAISE

5 Observe-t-on dans votre pays la même évolution de la vie associative ?

6 De quelles associations françaises avez-vous déjà entendu parler ? À quelle occasion ?

7 Quel sens donnez-vous au mot *parrainage* ? À votre avis, qui peut-on parrainer ?

Écouter

La crise du travail

Le sociologue Yves Chalas analyse, dans cet extrait, les profonds bouleversements de notre société du travail et décrit les nouvelles conditions de précarité que connaissent actuellement beaucoup de salariés. Il insiste tout particulièrement sur les difficultés des habitants des grandes banlieues européennes, touchées de plein fouet par le chômage, la réduction du temps de travail et les contrats à durée déterminée. Pour lui, la seule vraie solution à cette énorme crise de l'emploi consiste en un changement de civilisation… La société fondée sur le travail n'existe plus ; il nous faudra donc attendre la naissance d'une nouvelle société qui se dessinera peu à peu en s'appuyant sur d'autres bases, encore inconnues de nous.

1 Écoutez ce document, puis choisissez les options correctes.

1) Vous venez d'écouter l'extrait…
   a) d'un débat politique.
   b) d'une conférence.
   c) d'un meeting syndical.

2) L'idée exposée par l'orateur dans cet extrait est que…
   a) le chômage s'accentue et va encore s'accentuer dans les sociétés occidentales, malgré les efforts de tous.
   b) le chômage continuera de s'aggraver dans les banlieues parce qu'on ne prend aucune mesure sociale.
   c) il n'y a que deux solutions possibles à la crise du travail, particulièrement ressentie dans les banlieues.

3) Les politiques doivent offrir aux salariés…
   a) un travail qualifié en rapport avec leur formation.
   b) un travail à mi-temps qui leur permette de couvrir certains de leurs besoins.
   c) un travail en quantité suffisante pour pouvoir subvenir à leurs besoins.

4) « L'autre solution » mentionnée par l'orateur…
   a) n'a pas encore été trouvée.
   b) est déjà perceptible dans les sociétés occidentales.
   c) n'est pas encore perceptible mais le sera bientôt.

2 Donnez des précisions sur le sujet et sur les idées principales de l'intervention que vous venez d'entendre.

3 Réécoutez ce document, puis dites ce que signifient, dans ce contexte, les mots suivants : *cités, stagiaires, pré-retraités.*

4 Voici quelques « marques d'oralité » auxquelles a souvent recours un(e) locuteur / trice : hésitations, reprises de la phrase, reformulation des idées, incorrections. Les retrouvez-vous dans cet extrait ? En entendez-vous d'autres ? Lesquelles ?

Parler

1 Conversation.

Par groupes de 3, jouez la scène. Par hasard, vous découvrez que votre ami(e) fait du bénévolat. Il / Elle vous explique ses raisons. L'un(e) de vous réagit favorablement, l'autre défavorablement.

EXPRESSIONS POUR...

■ **Quelles expressions avez-vous utilisées pour :**
- faire des commentaires (favorables, défavorables, attristés, sceptiques…) ?
- réagir favorablement ou défavorablement à une idée, un fait / événement ?

■ **Recherchez dans la leçon d'autres expressions ayant les mêmes valeurs.**

2 Monologue.

Présentez votre poste de travail : dites comment vous l'avez obtenu, parlez de vos conditions de travail, des éléments positifs et négatifs, des conflits que vous avez éventuellement vécus et de ce que vous avez fait pour les résoudre.

3 Débat.

Organisez un débat sur le thème : « Le bénévolat : une manière d'augmenter le nombre de chômeurs ? ». Choisissez un(e) modérateur / trice, un(e) représentant(e) de la mairie (commune), un(e) responsable des Camions du Cœur ou d'une association bénévole locale, un(e) chômeur(se), un(e) chef d'entreprise, un(e) dirigeant(e) syndical(e). Préparez en détail vos interventions et enregistrez-vous ou représentez votre débat devant le groupe-classe.

4 Surprise.

En arrivant sur votre lieu de travail, vous apprenez quelque chose qui vous surprend. Commentez avec un(e) collègue.

5 Les infos.

Par petits groupes, imaginez une information surprenante et comuniquez-la au reste de la classe. Choisissez ensuite celle qui vous aura le plus amusé(e) ou intéressé(e).

Lire

Lisez l'article ci-contre, puis répondez aux questions. Justifiez vos réponses.

1) Qui est Danny ? Où vit-elle actuellement et depuis quand ? Comment est-elle arrivée dans ce logement ?
2) Qu'est-ce qui l'a décidée à s'y installer ?
3) Quels sont les avantages de son logement actuel ?

4) Quel métier prétend-elle y exercer ? Quel projet a-t-elle pour l'avenir ?
5) Que ressent-elle à l'idée de devoir changer de logement ?
6) Qu'est-ce qui est surprenant dans cet article ?

Écrire

Écrivez au courrier des lecteurs pour réagir à l'article ci-contre. Rappelez le titre de l'article, expliquez pourquoi vous réagissez et donnez votre opinion.

LE SOIR, MARDI 3 JUIN 2003

Elle squatte une villa à 3 millions d'euros

Une chômeuse a trouvé refuge depuis un an dans une luxueuse villa inoccupée à Uccle

BRUXELLES ▽ « *Et tout ça,* fait-elle en le serrant fort dans ses bras, *grâce à mon chien Pilule* »... Début juillet, il y aura un an que Danny promenait *Pilule* dans ce quartier, le plus beau, le plus cher, le plus chic de la région bruxelloise. Disons seulement que c'est à Uccle. Un quartier aéré. Aisé. Hyper-aisé. Mercedes, Porsche et BMW partout.

À un moment, Pilule, le malicieux yorkshire, s'est échappé. Sa maîtresse l'a appelé. Pilule ne revenant pas, cette jolie rousse de Danny a dû sauter la barrière pour le récupérer.

Dans la propriété, une villa et pas une petite. Des volets étaient fermés. Pas tous. Curieuse, Danny a jeté un coup d'œil. Aucun signe de vie. Intriguée, Danny et le yorkshire sont revenus le lendemain. Personne. La porte du garage était mal fermée : elle est entrée. Un château ! « *Une villa de rêve... à l'abandon* ».

À la troisième visite, la jeune femme prenait la décision de s'installer - avec Pilule - dans la propriété vide. Qu'elle squatte donc depuis début octobre 2002, elle qui vivait en appartement ! Au milieu des années 1990, la villa était estimée 90 millions. Elle atteindrait donc 3 millions d'euros. Hier midi, la squatteuse de luxe sue à grosses gouttes. C'est qu'il faut tondre. Danny n'en revient pas de vivre depuis huit mois dans une villa avec 4 W.-C., 4 salles de bains, 3 garages et piscine extérieure chauffée, sauna et jacuzzi ! Incroyable et pourtant vrai pour cette Bruxelloise demandeuse d'emploi. « *Au début, fait Danny, on me prédisait que je serais à la porte pour Noël. On a passé un super-réveillon. On a prétendu ensuite qu'on me ferait sûrement sortir pour Pâques.*

Maintenant, je me dis qu'avec un peu de chance, je serai encore ici à Noël ».

Danny en a parlé à la commune : on lui a répondu que la propriété n'était plus occupée depuis janvier 1995 et qu'aucun héritier ne s'était manifesté. « *Du coup, je ne me considère pas comme en vacances. Plutôt comme concierge. Je fais les travaux nécessaires et même plus, en espérant qu'on me les remboursera le jour où je devrai m'en aller. Cette villa est énorme. Il y a des pièces comme la buanderie où je ne vais jamais, sinon pour donner un coup d'aspirateur. Il y a même une piste de danse. Et Pilule a bien compris qu'il n'était pas chez lui : vous ne le verrez jamais faire ses besoins dans la pelouse. Mais il est heureux. Le matin, il y a des écureuils et même parfois des renards !* »

Une villa de star. « *C'est vrai,* admet Danny, *j'habite à Hollywood. Mais c'est un sacré boulot. Je ne suis pas Rothschild. L'hiver, je n'ai pas pu tout chauffer. Je me dis qu'après tout, puisqu'il n'y a personne, autant que ce soit moi. Il doit y en avoir d'autres. Ce serait bien que d'autres que moi puissent également profiter d'endroits aussi merveilleux...* »

Gilbert Dupont

« Je voudrais y installer une crèche pour enfants »

UCCLE ▽ Et s'il n'y avait eu un contretemps, sûr que le projet de Danny se serait déjà réalisé : « *Regardez,* fait-elle, *comme des enfants seraient heureux ici. Je sais que je pourrais m'occuper sans problème de quatre petits bouts. Je suis en train de leur aménager une belle grande chambre. Ils joueraient, là, sur la terrasse.* » Bref, avant l'an prochain - si Danny n'a pas été priée d'aller squatter ailleurs ! -, cette villa de milliardaire accueillera des enfants qui seront certainement heureux de jouer avec le petit chien Pilule dans ce cadre magnifique de verdure ! « *Et si je dois le quitter ? Eh bien, je m'en irai ! J'aurai eu le bonheur de vivre dans un endroit auquel je n'aurais jamais songé vivre de ma vie. Vous me direz que j'ai de la chance. Je réponds qu'il fallait un peu d'audace et que j'en profite, mais que je ne fais pas qu'en profiter. Tous les jours, je travaille pour que cette propriété soit en bien meilleur état que quand je m'y suis installée. Souvent je me dis que ce serait bien si d'autres pouvaient vivre la même expérience...* »

Gil.

Situation 1 > **Prêts à en discuter ?**

**JE SUIS SOCIALISTE
JE N'AI RIEN A CACHER**

 1 Écoutez l'enregistrement, puis répondez aux questions.

1) De quel genre de document sonore s'agit-il et quel est le sujet abordé ?

2) En combien de parties le diviseriez-vous ?

3) Combien de personnes interviennent dans chaque partie et que savez-vous d'elles ?

2 Dites quelle est la bonne réponse.

1) Stéphane…
   a) croit en l'action politique mais il n'est pas prêt à s'engager.
   b) ne se sent pas concerné par les partis politiques mais il s'implique à sa façon.
   c) croit en la politique et adhère à toutes les formes d'action politique.

2) Les deuxième et troisième jeunes :
   a) Aucun des deux ne s'intéresse à la politique.
   b) Le deuxième ne s'y intéressait pas mais il a changé d'avis.
   c) Le troisième ne s'y intéressait pas mais il a changé d'avis.

3) Selon la jeune fille,…
   a) les jeunes se désintéressent de la politique.
   b) les jeunes sont conscients de l'importance de la politique mais ils ne savent pas quoi faire.
   c) les jeunes ont conscience des problèmes et prennent part à des actions.

4) L'enquête porte sur…
   a) les tendances politiques des Français.
   b) le rapport des Français à la politique.
   c) l'organisation de la vie politique en France.

5) Quelle est la personne qui n'adhère pas à un parti politique par manque de temps et de conviction ?
   a) La femme.
   b) Le premier homme.
   c) Le deuxième homme.

6) La première personne interrogée…
   a) considère le vote moins important que la participation à la vie politique.
   b) limite sa participation à la vie politique au vote.
   c) pense qu'il faut participer aux manifestations et aux grèves, et elle le fait.

7) Le deuxième homme…
   a) vote à toutes les élections et va s'engager dans une association.
   b) est totalement d'accord avec le premier sur le vote et sur ce qui symbolise la république.
   c) n'accorde pas la même importance à toutes les élections et n'a pas l'intention de s'affilier à un parti.

Situation 2 > **Le budget participatif en débat**

1 **Conversation et discussion. Que répondez-vous à ces questions ?**

1) Participez-vous à la vie de votre ville, à celle de votre quartier ? Si oui, de quelle manière ? Sinon, pourquoi ?
2) Savez-vous ce qu'est le *budget participatif* ?

2 **Écoutez cet extrait de débat, puis répondez aux questions.**

1) Qui sont les participants à ce débat et dans quel cadre prennent-ils la parole ?
2) Est-ce que tous les participants étaient prévus lors de l'organisation du débat ?
3) Quel est le thème du débat ?
4) Quelle ville est citée comme référence ? Que s'y est-il passé ?
5) Quel est le point de vue de chaque intervenant pendant le débat ?
6) Quels rapports les intervenants entretiennent-ils entre eux ?

3 **Repérez dans l'enregistrement les mots ou expressions correspondant aux mots ou expressions en caractères gras.**

a) Alors, **qu'est-ce que je pourrais dire pour commencer** ?
b) Je suis très heureux d'intervenir sur un **sujet auquel je m'intéresse** depuis très longtemps.
c) Municipalité et population en sont venues à travailler **en étroite collaboration** et **on ne peut nier que** le processus…

4 **Relevez dans ce document les mots en rapport avec la vie associative et politique. Expliquez-les.**

5 **Associez les extraits suivants aux actes de parole présentés ci-dessous.**

a) Vous allez débattre sur le thème du budget participatif. Pas d'intervention initiale. […] Je vous demande également […] d'être très brefs dans vos interventions.
b) Le budget participatif est né, vous le savez, au Brésil, à Porto Alegre pour être plus précis, de la ténacité de quelques dirigeants politiques qui…
c) Attendez, je vois où vous voulez en venir et pour ma part…
d) Eh bien, justement parlons-en ! Je ne suis pas d'avis qu'il faille toujours tout négocier à tous les niveaux.

Actes de parole

1) Profiter des arguments de quelqu'un et lui montrer son désaccord.

3) Donner des informations et impliquer l'auditoire.

2) Donner des directives, des consignes.

4) Interrompre quelqu'un et justifier son interruption.

6 Ce débat vous a-t-il appris quelque chose sur le *budget participatif* ?

Le subjonctif

Écoutez la chanson, puis choisissez, parmi les trois formes proposées, celle qui correspond à l'enregistrement et au contexte.

À MA PLACE (auteur : Zazie – compositeur : Axel Bauer)

Serait-elle à ma place plus forte qu'un homme
Au bout de ces impasses où elle m'abandonne
Vivre l'enfer mourir au combat
Faut-il pour lui plaire aller jusque-là
Se peut-il que j'y **parviens / parvienne / revienne**
Se peut-il qu'on nous **pardon / pardonne / pardonnes**
Se peut-il qu'on nous **aimons / aime / aimes**
pour ce que nous sommes

Se met-il à ma place quelquefois
Quand mes ailes se froissent
Et mes îles se noient
Je plie sous le poids
Plie sous le poids
De cette moitié de femme
Qu'il veut que je **soie / soi / sois**
Je veux bien faire la belle
Mais pas dormir au bois
Je veux bien être reine
Mais pas l'ombre du roi
Faut-il que je **s'aide / cède / saine**
Faut-il que je **saigne / saine / sang**
Pour qu'il m'aime aussi
Pour ce que je **serai / suis / sois**

Pourrait-il faire en sorte
Ferait-elle pour moi
Ouvrir un peu la porte
Ne serait-ce qu'un pas
Pourrait-il faire encore
Encore un effort
Un geste un pas
Un pas vers moi…

Je n'attends pas de toi que tu **es / saches / sois** la même
Je n'attends pas de toi que tu me **comprends /
comprenne / comprennes**
Seulement que tu **m'aimes / m'aimeras / me veuilles**
Pour ce que je **sais / suis / sois**

Se met-elle à ma place quelquefois
Que faut-il que je **fais / ferais / fasse**
Pour qu'elle me **voie / voit / vois**
Vivre l'enfer mourir au combat
Veux-tu faire de moi ce que je ne suis pas
Je veux bien tenter l'effort de regarder en face
Mais le silence est mort et le tien me glace
Mon âme sœur cherche l'erreur
Plus mon sang se vide et plus tu as peur

Faut-il que je **t'apprenne / t'apprends / te la prenne**
Je ne demande rien
Les eaux troubles où je traîne
Où tu vas d'où tu viens
Faut-il vraiment que tu **sais / sauras / saches**
Tout ce que tu **caches / cages / casses**
Tout au fond de moi
Au fond de toi

Quand je doute
Quand je tombe
Et quand la route est trop longue
Quand parfois je ne suis pas
Ce que tu **attends / attendes / as attendu** de moi
Que veux-tu qu'on y **fait / face / fasse**
Qu'aurais-tu **fait / fée / fais** à ma place

© LARSEN sas / ACCÉLÉRATION Music

Quel mode verbal trouve-t-on après les expressions suivantes ?

Se peut-il que j'y… / De cette moitié de femme qu'il veut que je… / Faut-il que je… / Je n'attends pas de toi que tu me… / Que faut-il que je… pour qu'elle me… / Que veux-tu qu'on y…
Le subjonctif est un mode verbal qui sert principalement à exprimer la subjectivité.

▸ LE SUBJONCTIF PRÉSENT

Formation
Le subjonctif présent se forme à partir de la base de la 3e personne du pluriel du présent de l'indicatif suivie des terminaisons :
-e, -es, -e, -ions, -iez, -ent.

Exemple : *attendre → que j'attende, que tu attendes, qu'il attende, que nous attendions, que vous attendiez, qu'ils attendent*
Attention aux verbes irréguliers ! *aller, avoir, être, faire, falloir, pleuvoir, pouvoir, valoir, vouloir, savoir.*

⊟ LE SUBJONCTIF PASSÉ

Le subjonctif passé se forme avec un auxiliaire
(*être* ou *avoir*) au subjonctif présent + le participe
passé du verbe que l'on conjugue :
Nous regrettons vivement que madame Levallois
n'ait pas pu *se joindre à nous.*

À quoi ça sert ?

Le subjonctif passé sert à indiquer l'antériorité par
rapport au verbe principal :
*Le candidat est ravi que son parti **ait gagné** aux
élections.* (*Gagner aux élections* est antérieur à
être ravi.)

Infinitif ou subjonctif ? Observez ces phrases.

*Je suis très satisfait d'**être intervenu** sur ce thème.* (sujet 1 = sujet 2)
*Je suis très heureux **que tu sois intervenu** sur ce thème.* (sujet 1 ≠ sujet 2)

L'alternance indicatif / subjonctif dans les complétives

Si le verbe de la principale exprime…	dans la complétive, on utilise…	
	le subjonctif	l'indicatif
la volonté, le souhait, le désir, le refus…	✔	
les sentiments, les goûts ou préférences…	✔	
le doute, la possibilité, l'éventualité…	✔	
la probabilité		✔
l'improbabilité	✔	
la connaissance, le jugement		✔
la déclaration		✔
l'opinion (forme affirmative)		✔
l'opinion (forme négative)	✔	

Attention ! *Espérer que* + indicatif
*Tout le village espère que son équipe de hand-ball **va gagner** la coupe samedi prochain.*

On utilise aussi le subjonctif pour exprimer certains rapports logiques :
*Afin que la confrontation **soit** plus vivante, je vous demande d'être brefs.* (but)
*Bien que je **croie** en la démocratie, je pense que c'est une perte de temps.* (concession)

---

1 **Conjuguez au subjonctif passé les verbes entre parenthèses.**

1) Je regrette que mon ex-mari … (venir) à ma soirée, il a été très désagréable.
2) Je suis désolé que ta grand-mère … (décéder), je te présente mes plus sincères condoléances.
3) Ma femme est furieuse que je … (avoir) un accident avec sa nouvelle voiture.
4) Notre professeur de philo est très satisfait que nous … (réussir tous) le bac.
5) J'ai peur qu'il … (partir) sans nous dire au revoir.
6) Il est impossible qu'elle … (déjà terminer) sa thèse, elle n'y travaille presque pas.
7) C'est dommage qu'il … (pleuvoir), vous avez dû passer un week-end épouvantable.
8) Tu ne crois pas que je … (écrire) ce poème ? Eh ben, merci !

2 **Repérez les verbes au subjonctif dans la Situation *Le budget participatif en débat*, (transcription page 153).
Justifiez leur emploi.**

3 **Terminez les phrases suivantes.**

1) Nous sommes sûrs que…
2) Il faudrait qu'elles…
3) Je suis très heureux de …
4) Il est impossible que vous…
5) Je ne crois pas qu'il…
6) Il est évident que vous…
7) Je crois que tu…
8) Il est peu souhaitable que je…

Mouvements de pensée et vie politique

Quelques mouvements de pensée

▶ L'anarchisme, le communisme, le fascisme, l'humanisme, le socialisme

À SON RETOUR DE CHINE, RAFFARIN EN QUARANTAINE

IL A ATTRAPÉ LE COMMUNISME !

1 Aimeriez-vous ajouter d'autres mouvements de pensée ?

2 Avez-vous des convictions idéologiques personnelles ou des croyances ? En parlez-vous facilement ?

Quelques verbes :
- croire (en)
- se sentir proche (de)
- adhérer aux principes (de)
- avoir de la sympathie (pour)
- se méfier (de)
- s'éloigner (de)
- rejeter
- refuser

Pour parler de systèmes et de régimes politiques

▶ **La république**
le président de la République, le mandat, le territoire national, les citoyens

▶ **La monarchie**
le roi / la reine, le règne, le royaume, les sujets

▶ **La dictature**
le dictateur, la tyrannie, la prise de pouvoir, le coup d'état, l'état de siège, le peuple

3 Par petits groupes, présentez le système politique du pays de votre choix.

Les trois pouvoirs

▶ **Le pouvoir exécutif**
sous les ordres du chef de l'État (roi / reine, président de la République) :
le premier ministre, le gouvernement, un ministre (de l'Environnement, de l'Intérieur…), un secrétaire d'état ; le conseil des ministres, le ministère

▶ **Le pouvoir législatif**
les chambres : le parlement, le sénat, un parlementaire, un député, un sénateur, l'hémicycle, la séance

▶ **Le pouvoir judiciaire**
le garde des Sceaux, le procureur de la République, le tribunal, le juge, l'avocat général (l'accusation), (l'avocat de) la défense, le tribunal d'instance, la correctionnelle (le tribunal correctionnel), les assises, un procès, un jugement

Quelques verbes :
- présider
- nommer
- dissoudre
- révoquer
- renouveler son mandat
- démissionner
- siéger
- légiférer
- promulguer une loi
- juger
- plaider
- défendre
- rendre un verdict

4 Répondez aux questions suivantes.

1) Quels sont les noms qui représentent des lieux, une personne, un groupe de personnes ou les deux indifféremment ?
2) Quels verbes correspondent à chacun des trois pouvoirs ?
3) Par quel pouvoir vous sentez-vous le mieux représenté(e) en tant que citoyen(ne) et pourquoi ?

Partis politiques

▶ un groupe politique, un rassemblement de partis, une coalition

▶ s'affilier (à), s'inscrire (à), militer (dans), collaborer (à), coopérer (à), appartenir (à)

Les élections

▶ le scrutin, le suffrage universel

▶ les citoyens, les électeurs, la carte d'électeur, le bureau de vote, la liste électorale, le bulletin de vote, le bulletin nul ou blanc

▶ les élections, le référendum, les candidat(e)s, la campagne / le programme / le débat électoral(e)

▶ convoquer, élire, proclamer les résultats

▶ remporter / perdre des élections, gagner / perdre des voix, des suffrages, des sièges

▶ le premier / le deuxième tour, le ballotage, le taux de participation, la majorité absolue, l'abstention

5 Retrouvez la chronologie du processus électoral. Y a-t-il eu récemment des élections dans votre pays ? Lesquelles ? Présentez-les.

L'administration du territoire français

▶ un état (dé)centralisé

▶ le département : le préfet, la préfecture, le sous-préfet, la sous-préfecture, les départements et territoires d'Outre-Mer (DOM-TOM)

▶ la région : le conseil régional, le préfet

▶ la commune, la ville, l'arrondissement, le maire, le conseil municipal, la municipalité, l'hôtel de ville, la mairie (de la ville, de l'arrondissement)

Quelques verbes :
■ administrer
■ délibérer
■ établir son budget
■ faire des investissements
■ gérer les recettes
■ accorder / recevoir des subventions

6 De la plus petite division à la plus grande, reconstruisez la pyramide de l'administration du territoire français.

7 Et maintenant jouez au jeu des champions. Répondez à ces devinettes, puis par petits groupes, trouvez-en d'autres à proposer aux autres groupes.

a) Endroit où travaillent le maire et le conseil municipal.
b) Quantité d'argent destinée au fonctionnement d'une collectivité.
c) Personne qui a le droit de voter.
d) Personne responsable du département et parfois devant le pouvoir central.

Vous avez dit... politique ?

1 Pouvez-vous nommer chacun des éléments de cet organigramme, en vous aidant de la page Lexique ?

2 Savez-vous à quoi correspondent ces logos ?

3 Voici des sujets qui font l'objet de débats en France. Sont-ils d'actualité dans votre pays ?

la laïcité • le vote des étrangers • la décentralisation • le travail • les retraites • la sécurité sociale • les conflits internationaux

DANGER !

Mix & Remix © Courrier International

4 Testez vos connaissances sur la vie politique et sur l'histoire de la France.

1 Quelles sont les couleurs du drapeau français ?
Et la devise de la République française ?

2 Qui sont, actuellement, le président de la République et le premier ministre français ?

3 Les Français sont-ils sous la quatrième, la cinquième ou la sixième République ?

4 Qui habite dans chacune de ces résidences, le temps de son mandat ?

a) le palais de l'Élysée   b) l'hôtel Matignon

5 Quelle est la durée actuelle du mandat du président de la République ?

6 À quoi associez-vous ces emblèmes ?

1   2   3

- la royauté
- la Révolution
- la France libre pendant la Seconde Guerre mondiale

7 Reliez.

1) « Allons enfants de la patrie… »   a) Émile Zola
2) « J'accuse… ! »   b) la Déclaration des droits de l'homme
3) « Les hommes naissent libres et demeurent égaux en droits. »   c) la Marseillaise

8 Mettez en relation les événements et les années suivants.

1) l'abolition de la peine de mort	a) 1789
2) l'instauration des congés payés	b) 1936
3) la loi sur le vote des femmes	c) 1944
	d) 1968
	e) 2000

5 Mais qui est Marianne ?

Marianne est le fruit de l'imaginaire républicain, le premier symbole de la République, l'allégorie féminine des vertus civiques… Elle est toujours jeune et belle pour signifier que la force de la République réside dans les jeunes générations et pour rappeler qu'un peu plus de deux siècles ne sont rien à l'échelle de l'idéal humain et qu'il reste encore beaucoup à faire…

Les attributs de Marianne
Ils représentent les valeurs auxquelles sont attachés les républicains : la liberté, l'égalité, la fraternité, la justice, le courage, la force, la paix, le travail. Chaque régime en privilégie quelques-uns ; ils expriment aussi bien les tendances gouvernementales que les vertus souhaitées à la nation par les partis au pouvoir.

Écouter

Les papillons

Lorsque deux pays entrent en conflit, cela débouche souvent sur une guerre avec son lot de combats et de bombardements qui provoquent des pertes humaines et des dégats matériels souvent considérables.
La guerre prend fin avec la capitulation d'un des deux belligérants et la paix est scellée par la signature d'un accord ou d'un traité de paix.

1 Écoutez ce conte, puis répondez aux questions suivantes.

L'AGRESSEUR

1 Qui est-il et comment le présente-t-on ?
2 Pourquoi s'attaque-t-il au petit royaume ?
3 Où installe-t-il son armée ?

L'ÉMISSAIRE

1 Comment ce soldat arrive-t-il jusqu'au palais ?
2 Propose-t-il un pacte au roi ? Que lui dit-il ?

LES HABITANTS DU ROYAUME

Que font-ils…
1 le matin ?
2 vers midi ?
3 l'après-midi ?

LE ROI

1 Quelle question lui pose le général ?
2 Comment le roi y répond-il ?
3 Que se passe-t-il ? Et qu'est-ce que cela provoque ?
4 Pourquoi le roi fait-il un autre signe de la main ?

LES SOLDATS

1 Quel sort attend les soldats de l'armée ennemie ?
2 Quel fait provoque leur libération ?

2 Expliquez en quelques mots.
1) Quelle a été la stratégie du roi pour préserver la paix dans son royaume ?
2) Comment s'achève le conte et quelle morale en tirez-vous ?

3 Quelle est la géographie physique de ce petit royaume ?

4 Maintenant, à partir de la transcription (page 154), faites la liste des images et des descriptions associées à la guerre.

Parler

EXPRESSIONS POUR...

■ **Participer à un débat**
Recherchez dans la Situation 2, *Le budget participatif en débat*, les structures pour…

a) présenter le sujet du débat et les intervenants.
b) prendre et donner la parole.
c) couper la parole.
d) insister sur une idée, un argument.
e) organiser l'exposition de ses arguments et de ses idées.
f) s'opposer à une idée, à un argument.

■ **D'autres expressions pour s'opposer à une idée, à un argument, de façon véhémente :**

Pas question !
Mais bien sûr qu'il y a une différence !
On ne peut pas dire ça !
C'est totalement faux !
C'est tout à fait autre chose…
Ça (ne) tient pas la route…
C'était / Ce n'était pas le cas de…
C'est aberrant !
C'est absolument scandaleux !

1 Débat.

Maintenant, organisez un débat autour du thème : « La parité hommes-femmes sur les listes électorales : pour ou contre les quotas ? ». Choisissez un(e) modérateur / trice, un député, un sénateur, une représentante d'une association féministe, un maire et un(e) jeune électeur / trice. Préparez avec soin vos interventions et représentez votre débat devant le groupe-classe.

2 Monologue.

Membre d'un parti politique réel ou fictif, vous venez de prendre la décision de vous présenter aux prochaines élections. Vous annoncez la nouvelle à la presse. Expliquez les raisons de votre candidature, votre état d'esprit et vos projets.

┌─── **POUR PARLER EN PUBLIC** ───

■ Préparez soigneusement votre intervention.
■ Cernez le public auquel vous vous adressez.
■ Cherchez les idées que vous allez développer.
■ Abordez les questions prioritaires pour le public qui vous écoute.
■ Faites le plan de votre intervention : commencez par les points importants.
■ Notez les mots-clés, les expressions difficiles et les chiffres.
■ Maintenez l'attention de l'assistance : ne l'ennuyez pas.
■ Ne perdez pas de vue ses intérêts.
■ Utilisez un vocabulaire approprié et préférez les phrases courtes.
■ Apprenez à maîtriser votre trac.
■ Parlez fort et avec assurance.
■ Tenez-vous bien droit et regardez votre public : votre regard vous met en contact avec lui.
■ Montrez vos émotions (elles vous rapprochent de votre public) mais évitez les gestes qui trahissent votre nervosité.
■ Soyez souriant(e).

3 Présentation.

Vous avez décidé de créer une nouvelle association et de vous faire connaître. Par petits groupes, élaborez votre programme, puis présentez-le au reste de la classe. Ensuite, votez pour le programme que vous préférez.

4 Conversation.

Par petits groupes, parlez de votre intérêt ou de votre désintérêt pour la politique en général. Argumentez vos opinions et donnez des exemples.

Lire

MONSIEUR LE PRÉSIDENT,

Je vous fais une lettre que votre épouse vous lira peut-être si vous avez le temps de l'écouter. Juste pour vous demander de ne plus penser qu'à elle, je veux dire la République, … (1). Il est vrai qu'elle ne s'est pas faite en un jour. Platon avait beau rêver à son propos d'une constitution politique idéale, synonyme de justice, la République des Grecs n'accordait pas droit de cité aux femmes ni aux esclaves. Il a fallu 2400 ans pour que … (2) aux « liberté, égalité » trouvés par les révolutionnaires de 1789, et pour marquer ainsi l'abolition de l'esclavage. Et encore cent ans de plus pour que les femmes puissent voter. Vous savez tout cela, bien entendu, mais je me permets ces rappels pour vous dire qu'au lendemain de votre élection, cet héritage qui vient de loin est entre vos mains et … (3). Vous êtes le président de tous les Français, … (4). et vous êtes ainsi le premier des républicains, en charge de cette « chose du peuple » qui ne connaît ni les privilèges ni les passe-droits, … (5). La République, c'est l'église de la liberté, le temple de l'égalité, … (6). Et aussi la synagogue de l'intégrité et la pagode de la sincérité. … (7). Ce peuple plutôt délaissé ces derniers temps, et souvent maltraité, assimilé stupidement à une assemblée de lobotomisés de la télé. Ce peuple à qui on a trop servi, en fait de liberté, égalité, fraternité : … (8). Alors, puisqu'il paraît que les « ismes » sont derrière nous, Monsieur le Président, puissiez-vous ne pas passer les « tés » par pertes et profits. À vous de nous aider à retrouver les chemins de la devise gravée au fronton des lycées, à vous d'y ajouter honnêteté, responsabilité, ténacité. Tout cela rime avec Élysée, n'est-ce pas ?

M. le Président © Olivier PERETIER pour ELLE, 2002

Complétez les parties numérotées de ce texte avec les éléments ci-dessous.

a) autrement dit, c'est la maison du peuple

b) ceux qui vous ont élu comme ceux qui ne l'ont pas voulu

c) encore moins les louches avantages et les discrets apartheids

d) la mosquée de la fraternité

e) les romantiques de 1848 ajoutent le mot « fraternité »

f) pauvreté, lâcheté et insécurité

g) qu'il vous appartient de le transmettre en bon état à vos successeurs

h) qui paraît bien déprimée ces temps-ci

Écrire

Écrivez une lettre à la mairie de votre ville pour protester contre la prolifération des affiches électorales sur des espaces non autorisés. Inspirez-vous du modèle suivant.

nom et adresse de l'expéditeur

Fabrice Bonnet
37, rue de la Liberté
33030 Mérignac

nom et adresse du destinataire

Mairie de Mérignac
Av du Maréchal de Lattre-de-Tassigny
33705 Mérignac Cedex

lieu et date

Mérignac, le 10 avril 2003

formule d'appel

Monsieur le Maire,
Mesdames et messieurs les Conseillers Municipaux,

exposition des faits et réaction

J'ai appris par le dernier bulletin de Lutte Ouvrière qu'au dernier conseil municipal du 24 mars, la majorité PS, PC et Verts avait voté l'augmentation des taxes d'habitation et des taxes foncières juste après l'augmentation d'impôts nationaux et régionaux. C'est scandaleux !

argumentation

Cette mesure fait payer la population alors que, pour les entreprises et les riches, les gouvernements qu'ils soient de gauche ou de droite, n'approuvent que les diminutions d'impôts. Je trouve cette mesure inadmissible ! D'une part, le niveau de vie à Mérignac ne cesse de se dégrader avec le chômage et la précarité de plus en plus présents. D'autre part, les programmes de tous les candidats n'annonçaient que des réductions d'impôts. Pourquoi les augmenter alors que les bénéfices des entreprises et des gros revenus restent intouchables ?

lien avec sa situation personnelle

Étant moi-même au chômage depuis sept mois, je me sens particulièrement touché par la décision du conseil et je tiens à manifester mon indignation et ma protestation les plus vives.

requête

J'attends de vous une réponse rapide à ma lettre et je vous demande formellement de revenir sur cette décision d'augmentation.

formule finale

Recevez, Monsieur le Maire, Mesdames et Messieurs les Conseillers Municipaux, mes salutations distinguées.

Fabrice Bonnet

POUR VOUS AIDER

■ **Formules d'appel pour commencer une lettre formelle.**

Si on ne connaît pas la personne à qui on s'adresse :
Madame, Monsieur,
Si elle a un titre, le mentionner :
Monsieur le Directeur,
Si on connaît bien la personne :
Chère Madame,
Cher Monsieur,

■ **Formules pour prendre congé à la fin d'une lettre formelle.**

En vous remerciant par avance de l'attention que vous voudrez bien porter à cette lettre / requête…
Dans l'espoir d'une réponse favorable…
En vous priant de prendre ma protestation en considération…
Je vous prie d'agréer, Monsieur, l'assurance de ma respectueuse considération.
Veuillez agréer, Madame, Monsieur, l'expression de mes salutations distinguées.

Choisissez l'option qui convient (a, b, c) pour compléter le texte suivant.

Il se gara, prit son sac sur la banquette arrière et leva les yeux vers les fenêtres de son appartement. Marie-France n'était pas encore rentrée. Il se sentait fatigué de sa journée. Levé … (1) 7 heures, il n'avait pas eu le temps de souffler une minute et une journée d'instituteur, à son âge, ça commençait à compter.

En plus, … (2) la classe, il avait reçu les parents d'élèves. Ils étaient nombreux, cette année : une femme qui avait peur que son fils … (3) suivre, d'autres qui aimeraient bien que l'école … (4) une sortie pendant le trimestre, d'autres encore un peu étonnés que les enfants … (5) peu de devoirs à faire. Il les rassura : il … (6) donnait mais sans excès. Beaucoup surtout voulaient savoir où en étaient leurs rejetons, comment ils se comportaient pendant la classe et il … (7) avait expliqué, patiemment, en prenant son temps et en rentrant dans les détails pour chaque enfant. Rentré chez lui, il alluma machinalement la télé, c'était l'heure des infos régionales et le point chaud de l'actualité, c'était la … (8) des salariés du secteur chimique.

… (9) 10 jours que la direction … (10) la suppression de 90 emplois pour le début de l'année suivante, les … (11) avaient immédiatement réagi et engagé des … (12) mais sans succès : la direction restait ferme, les salariés n'acceptaient pas ces futurs … (13) et ne voulaient pas céder. Le conflit en était au point mort.

Il soupira, se demanda une fois de plus comment ce monde évoluerait. Un nom le ramena au journal télévisé, on parlait de la Pierre Lisse, il … (14) bien, de ce quartier ! Que s'y passait-il ?

« Eh bien oui, c'est une manifestation un peu particulière qui a eu lieu dans le centre-ville aujourd'hui, les habitants de la Pierre Lisse sont descendus dans la rue pour protester contre les problèmes d'éclairage public de plus en plus fréquents dans leur quartier. Les courriers adressés à … (15) sont, disent-ils, restés sans réponse ; aussi ont-ils convoqué ce rassemblement dans le centre-ville pour attirer l'attention des pouvoirs publics. » Le journaliste, sur les lieux, tendait le micro à un homme situé en tête du cortège. « Ça fait un moment que ça dure, on n'en peut plus, on vit dans le noir, il y a des limites, non ! On paie nos impôts ! Alors … (16), ça sert à quoi ? On lui a écrit, au maire, vous croyez qu'il s'est déplacé ? On n'est plus en période … (17), alors personne ne bouge mais on fera parler de nous … (18) on obtienne… »

Le reste se perdit pour Daniel dans le brouhaha. Juste à ce moment-là, la clé tourna dans la serrure et il entendit Marie-France qui accrochait son manteau. Elle pénétra dans la salle, les joues rosies par l'air frais du dehors et les yeux brillants, avec l'air d'avoir quelque chose d'important à lui annoncer. Effectivement, sa grande amie Simone lui avait téléphoné … (19) elle avait su la nouvelle : on venait d'accorder des … (20) à leur association. Il fallait fêter ça !

1)	a) il y a	b) depuis	c) avant de
2)	a) au bout de	b) jusqu'à	c) après
3)	a) n'aurait pas pu	b) ne puisse pas	c) ne peut pas
4)	a) fasse	b) ait fait	c) ferait
5)	a) aient eu	b) auraient eu	c) avaient eu
6)	a) les en	b) leur en	c) en leur
7)	a) le lui	b) leur en	c) le leur
8)	a) pétition	b) licenciement	c) grève
9)	a) Il y avait	b) Il y a	c) Depuis
10)	a) avait engagé	b) avait annoncé	c) avait défendu
11)	a) syndicats	b) entreprises	c) municipalités
12)	a) assemblées	b) protestations	c) négociations
13)	a) licences	b) licenciés	c) licenciements
14)	a) s'en souvenait	b) se le rappelait	c) s'y souvenait
15)	a) la préfecture	b) la mairie	c) le conseil municipal
16)	a) le conseil municipal	b) le bulletin municipal	c) le budget municipal
17)	a) d'élections	b) de coalition	c) de scrutin
18)	a) depuis qu'	b) dès qu'	c) jusqu'à ce qu'
19)	a) dès qu'	b) à partir de ce qu'	c) depuis qu'
20)	a) subventions	b) recettes	c) investissements

OBJECTIFS

▶ Intervenir dans des conversations sur des sujets culturels (langue, cinéma, art…).

▶ Parler de son rapport à la langue, aux langues, à la traduction, etc.

▶ Comprendre une interview. / Interviewer (expériences personnelles).

▶ Comprendre des extraits de conférences sur des sujets culturels (registres standard et soutenu).

▶ Lire la presse et découvrir quelques journaux francophones.

▶ Découvrir des aspects de la langue et de la culture françaises (historiques, géographiques et sociologiques).

▶ Analyser les spécificités des discours oraux.

▶ Appliquer des critères pour évaluer des textes écrits.

▶ Appliquer des critères pour planifier un exposé.

▶ Réfléchir à son profil d'apprenant.

Liaisons fatales

« *Télévision, la voix de la France* », disait Georges Pompidou. C'était l'habiller large. On se contenterait qu'elle soit la voix du français.

Que c'est donc difficile, le français… Allez savoir pourquoi un « h » est aspiré et un autre pas, pourquoi on dit des « z 'héritiers » et pas des « z'haubans », « il est hissé » et pas « il est t'hissé »… Oui, pourquoi ? La liaison calamiteuse, c'est la spécialité de ce langage particulier qui est le propre de la télévision. On n'en finirait pas de les relever. Tout va bien aussi longtemps que journalistes et commentateurs disposent de prompteurs, cette petite boîte sur laquelle file un texte écrit. Là, on parle plutôt la langue de bois, on se protège derrière le cliché et le lieu commun mais dans une langue généralement correcte.

Les choses se gâtent quand il faut improviser. Là, on entend des choses étonnantes. Par exemple : « Ses évasions furent couronnées d'échecs. ». Une perle. Ou encore : « François Mitterrand fut réélu deux fois… ». On pourrait en faire un collier. On admirera d'autant plus la pléiade de jeunes femmes reporters qui, sans l'aide de prompteurs, réussissent à éviter ces impairs qui vous écorchent les oreilles. Ce n'est pas bien grave, dira-t-on. Grave, non. Mais fâcheux, très fâcheux.

La langue est un habit de la pensée qui ne souffre pas le débraillé. Et que dire de celui qui répète, trois fois en une phrase : « Comment dirais-je ? ». Ce n'est pas une faute, c'est un tic. Exaspérant. Comme le « c'est la raison pour laquelle » dont usent et abusent les hommes politiques. « Télévision, la voix de la France », disait Georges Pompidou. C'était l'habiller large. On se contenterait qu'elle soit la voix du français.

Liaisons fatales, Françoise GIROUD © **Le Figaro Magazine**

1 Lisez ce texte, puis choisissez l'option correcte.

1) Cet article de journal critique la langue…
   a) française.
   b) de la télévision.
   c) de Georges Pompidou.
2) La journaliste parle de jeunes femmes reporters qui…
   a) utilisent une langue correcte.
   b) font comme les autres reporters.
   c) ont des tics de langage.
3) La journaliste, devant ce mauvais usage de la langue à la télévision…
   a) s'étonne.
   b) s'indigne.
   c) se réjouit.
4) Selon Françoise Giroud, la langue…
   a) ne supporte pas le désordre.
   b) met en valeur la pensée.
   c) reste très ouverte.
5) Selon Georges Pompidou, la télévision…
   a) devait d'abord représenter la France.
   b) devait d'abord être la voix du français.
   c) ne pouvait pas représenter le français.

2 Pourquoi la journaliste s'étonne-t-elle d'entendre les phrases suivantes ?

a) *Ses évasions furent couronnées d'échecs.*
b) *François Mitterrand fut réélu deux fois.*

3 Lisez l'interview ci-contre, puis retrouvez dans la liste suivante, les questions posées à Alain Rey.

a) Comment un mot entre-t-il légitimement dans le dictionnaire ?
b) Votre chronique *Le mot de la fin*, sur France Inter, connaît un réel succès depuis 1993. Croyez-vous les Français toujours attachés à leur langue ?
c) L'entrée de mots anglais enrichit-elle ou appauvrit-elle la langue française, selon vous ?
d) Quels mots prenez-vous le plus de plaisir à expliquer, à analyser ? Des mots d'origine grecque, latine, celte, ou plutôt des mots récents ?
e) Justement, quelle est votre position vis-à-vis d'Internet ?
f) Quel serait, selon vous, le dictionnaire idéal ?

4 Retrouvez trois phrases qui correspondent au texte que vous venez de lire.

a) Alain Rey préfère expliquer les mots d'origine ancienne.
b) Les mots d'origine récente sont plus pauvres quant aux explications à donner.
c) Alain Rey considère qu'Internet est un excellent outil de recherche d'information.
d) Alain Rey ne pense pas qu'Internet puisse éliminer le support papier.
e) Selon Alain Rey, le principal inconvénient d'Internet est l'énorme quantité d'information que l'on y trouve.
f) Selon Alain Rey, les Français accordent une grande importance à leur langue.

Amazon.fr : (1)

Alain Rey : Ce sont vraiment deux choses complètement différentes. Les mots d'origine ancienne sont plus riches, parce qu'ils transmettent toute une évolution qui remonte à l'indo-européen en passant par le grec, le latin, qui couvre tout le Moyen Âge et l'histoire de la langue française depuis mille ans et toute l'histoire des idées.

Mais les mots récents recèlent aussi de petits secrets. « Pokemon », le jeu pour les enfants, vient du Japon, mais le mot signifie « pocket monsters », monstres de poche en anglais. « Karaoké » est la manière japonaise de prononcer « orchestra », orchestre en anglais. Pour ce type de mots, on trouve plus facilement leur origine sur Internet que dans les livres.

Amazon.fr : (2)

Alain Rey : Je crois que le véhicule que vous représentez est maintenant aussi important que le papier. Sur le plan documentaire, Internet nous permet de résoudre une quantité de problèmes sur lesquels nous buttions avant, principalement au sujet de notions ou de mots nouveaux. Bien sûr, il faut une stratégie d'interrogation pour ne pas être noyé sous une masse d'informations plus ou moins valides, mais si on pose bien les questions, on reçoit des réponses valables.

Amazon.fr : (3)

Alain Rey : Oui, tout à fait. J'ai beau faire une chronique assez peu puriste, je reçois beaucoup de courrier d'auditeurs très sensibles à la qualité de la langue utilisée. Il y a quelque chose de viscéral dans le rapport des francophones à leur langue.

http://www.amazon.fr

Situation > **Des langues, des histoires**

1 Échange.

1) Si on vous dit *langue étrangère*, quelles images, quels mots vous viennent à l'esprit ?
Et si on vous dit *langue maternelle* ?

2) Y a-t-il des langues que vous préférez et des langues que vous n'aimez pas ? Pourquoi ?

3) Pensez-vous que l'on peut être totalement bilingue ou qu'une des langues parlées reste toujours une langue *étrangère* ?

4) Pouvez-vous illustrer vos propos par des exemples tirés de votre vécu ou de celui de vos proches ?

2 Maintenant, écoutez ces trois écrivains parler de la langue et retrouvez pour chacun d'entre eux…

a) son origine et son histoire.
b) le sujet abordé.

3 Réécoutez ces extraits.

1) Par petits groupes, commentez et comparez…

a) la façon de parler, le ton, l'accent et les marques d'oralité les plus fréquentes chez chacun des trois conférenciers.
b) leur rapport à la langue française.

2) Dites à quel témoignage vous êtes le plus sensible.

4 Repérez dans l'enregistrement les mots ou expressions correspondant aux mots ou expressions en caractères gras.

a) **Si j'avais vécu** dans mon pays, j'aurais fait des enfants.
b) J'ai écrit les deux langues à la fois parce que la langue française **n'était pas suffisante pour moi**.
c) **On est bloqués** entre deux pays.
d) Comme disait Napoléon, si vous allez **vous battre** pour nous…

● Les pronoms relatifs composés

Rappelez-vous : le choix du pronom relatif simple dépend de sa fonction dans la phrase.

*Ces gens **qui** tombaient comme des mouches.* (sujet)
*Les poèmes **que** j'écrivais étaient dans les deux langues.* (COD)
*Un endroit **où** on parlait trois langues. - L'année **où** j'ai vécu dans ce pays…* (complément de lieu / temps)
*Formule **dont** usent et abusent les hommes politiques.* (complément introduit par *de*)

Ces formes invariables peuvent éventuellement être précédées d'une préposition dépendant du verbe ou d'un pronom démonstratif neutre.

*Le pays **d'où** elle vient est un pays déchiré. - Partir à Cuba, voilà **ce dont** j'ai le plus envie en ce moment !*

Maintenant, observez ces phrases.

*Internet nous permet de résoudre une quantité de problèmes sur **lesquels** nous buttions avant.*
*Exaspérant. Comme le « c'est la raison pour **laquelle** » dont usent et abusent les hommes politiques.*

> Que remplacent les pronoms en caractères gras ? S'agit-il de formes variables ou invariables ? Quelle est la catégorie grammaticale du mot qui les précède ?

On appelle ces pronoms *relatifs composés* :

	MASCULIN	FÉMININ
SINGULIER	lequel	laquelle
PLURIEL	lesquels	lesquelles

Attention aux **formes contractées** avec *à* ou *de* :

	MASCULIN	FÉMININ
SINGULIER	auquel duquel	à laquelle de laquelle
PLURIEL	auxquels desquels	auxquelles desquelles

Observez ces phrases.

La fille à qui je parle… - Le problème auquel je me réfère… - Je devine ce à quoi tu penses.
L'homme avec qui je me suis mariée… - La chanson avec laquelle il a gagné…
L'espace au milieu duquel les deux langues se rencontrent… - L'homme en face de qui je suis assise…

> Quels sont les antécédents des pronoms composés (mots, phrases) ? Sont-ils animés ou inanimés ?

Attention ! Quand l'antécédent est animé, on utilise la forme *qui* bien que les relatifs composés soient tolérés.
Le garçon <u>avec qui</u> / avec lequel elle travaille est le fils de l'ébéniste.

▶ CONSTRUCTIONS RELATIVES

Les pronoms relatifs composés sont précédés d'une préposition ou d'une locution prépositionnelle :

• avec *à*	à qui / auquel … / à quoi
• avec d'autres prépositions	(préposition +) qui / (préposition +) lequel…
• avec des locutions prépositionnelles	(loc. prépositionelle +) de qui / duquel…

QUELQUES PRÉPOSITIONS ET…	LOCUTIONS PRÉPOSITIONNELLES
après, avec, chez, contre, dans, derrière, durant, entre, par, parmi, pour, sans, selon, sur	grâce à, face à, au bout de, au cours de, au-delà de, au milieu de, auprès de

1 **Complétez avec la préposition et le pronom relatif qui conviennent.**

1) Le médecin … il a été opéré est d'origine anglaise.
2) La table … tu es appuyé risque de casser.
3) Tu connais les personnes … nous sommes invités ?
4) Rappelle-moi le nom du monsieur … tu parlais.
5) Le détail … tu as pensé n'est pas sans importance !
6) J'ai vu un groupe de manifestants … j'ai cru reconnaître ton frère.

2 Pronom relatif simple ou composé ?

1) Le comité a abordé un problème très délicat … personne n'avait réfléchi avant. / Le comité a abordé un problème très délicat … personne ne s'était posé avant.

2) Nous sommes obligés d'assister à des séminaires … ont lieu tous les mardis de 8 h à 11 h. / Les séminaires … nous sommes obligés d'assister ont lieu tous les mardis de 8 h à 11 h.

3) L'enthousiasme … il a toujours travaillé a été la clé de son succès. / Il a toujours travaillé avec beaucoup d'enthousiasme, ce … a été la clé de son succès.

● L'expression du lieu

On peut exprimer le lieu à l'aide de prépositions, de locutions prépositionnelles, d'adverbes ou de pronoms.

▶ PRÉPOSITIONS

Le choix de celles-ci dépend de la perspective adoptée (lieu où l'on est, où l'on va, d'où l'on vient) et du type de nom (nom commun ou nom propre).

SITUATION		DÉPLACEMENT
à	*à Strasbourg, au lycée*	de … à, de … vers,
dans	*dans mon pays, dans un endroit du monde*	depuis … jusqu'à, entre … et,
derrière	*derrière la page blanche, derrière un mur*	au bout de, etc.
en	*en France, en l'air*	
entre	*entre les deux pays, entre ces deux puissances*	
parmi	*parmi nos parents*	
sur	*sur Beyrouth*	
contre, de, devant, derrière, chez, par, pour, sous, vers…		

▶ LOCUTIONS PRÉPOSITIONNELLES

Au milieu de ma vie, au milieu de mon cœur.

à droite / gauche de, à l'écart de,
à l'intérieur / l'extérieur de, au-dessus / dessous de,
auprès de, autour de, au sommet de,
au-delà de, en bordure de, en dehors de,
en face de, près / loin de…

▶ ADVERBES

Là, on entend des choses étonnantes.

dedans / dehors, (par) dessus / dessous,
en haut / en bas, ici / ailleurs, là-bas,
partout / nulle part, quelque part…

▶ PRONOMS

Un endroit où on parlait trois langues, j'ai hâte d'y retourner.

3 Lisez le texte suivant et repérez les expressions de lieu qui y apparaissent.

Et la lourde machine se mit en route.

Elle descendit la rue Grand-Pont, traversa la place des Arts, le quai Napoléon, le Pont-Neuf, et s'arrêta court devant la statue de Pierre Corneille.

- Continuez ! fit une voix qui sortait de l'intérieur. La voiture repartit et se laissant, dès le carrefour La Fayette, emporter vers la descente, elle entra au grand galop dans la gare du chemin de fer.

- Non, tout droit ! cria la même voix.

Le fiacre sortit des grilles, et bientôt arrivé sur le cours, trotta doucement, au milieu des grands ormes. Le cocher s'essuya le front, mit son chapeau de cuir et poussa la voiture en dehors des contre-allées, au bord de l'eau, près du gazon.

Elle alla le long de la rivière, sur le chemin de halage pavé de cailloux secs, et, longtemps, du côté d'Oyssel, au-delà des îles. Mais, tout à coup, elle s'élança d'un bond à travers Quatremares, Sotteville, la Grande-Chaussée, la rue d'Elbœuf, et fit sa troisième halte devant le Jardin des Plantes.

Madame Bovary, Gustave Flaubert

Ronde des mots

Des mots qui appartiennent à...

une langue
un patois
un dialecte
un jargon
un argot

À TOUT RATE PARLACHE TOUBAC BAIQUE BARII RAMINER QUADRETTE POQUEUR BUG COOKIE COLTINER MABOULE LARBIN CABANE CAISSE MEUF SKEUD REUCH RELOU VÉNÈRE ZICMU

... et des mots dits avec un accent.

1 Quelle est la situation linguistique dans votre pays ou dans votre région ? Y a-t-il des accents caractéristiques de certaines régions ? Avez-vous été sensible à l'accent de certains acteurs dans des films que vous avez vus récemment ?

Des mots pour communiquer...

Exemples : *Je ne veux pas me disputer avec cette personne, alors je change de sujet.*
Si je bavarde avec une amie, je peux lui parler franchement ou plaisanter.

bavarder
raconter
affirmer
insister
faire savoir
persuader
contredire
débattre
discuter
se disputer
...

sous-entendre, faire une allusion
parler franchement / biaiser
parler sérieusement / à la légère
prendre au pied de la lettre
interpréter
provoquer un malentendu / un quiproquo
détourner la conversation, changer de sujet
plaisanter, blaguer
être clair(e) / confus(e)

2 Proposez des associations entre ces deux colonnes.

Des mots pour jouer...

calligrammes • anagrammes • charades • rébus
mots-valises • jeux de mots

Comme

Come, dit l'Anglais, et l'Anglais vient.
Côme, dit le chef de gare, et le voyageur
qui vient dans cette ville descend du train
sa valise à la main.
Come, dit l'autre, et il mange.
Comme, je dis comme et tout
se métamorphose, le marbre en eau, le ciel
en orange, le vin en plaine, le fil en six,
le cœur en peine, la peur en Seine.

Robert Desnos © Éditions Gallimard

3 Connaissez-vous des expressions imagées, des figures de style ou autres ? Présentez-les.

Des mots pour traduire des sensations...

LA PLUIE ET LE BEAU TEMPS

S A P S U O V Z E I R E F E N

POURQUOI

Paul Nougé

• métaphores
• expressions imagées, comparaisons
• synonymes / antonymes
• onomatopées...

4 À votre tour, imaginez un calligramme.

Des mots français bien à vous...

Quel est le (mot) que vous préférez écrire ?
Et celui que vous aimez prononcer ?
Votre (mot) doux ?
Votre (mot) tabou ?
Votre gros (mot) ?
Le (mot) dont l'orthographe vous donne
encore du souci ?

Votre onomatopée préférée ?
Le (mot)-clé pour vous définir ?
Votre (mot) d'ordre ?
Un jeu de (mots) pour vous faire rire ?
Un (mot) qui est pour vous un faux-ami ?
Un bon (mot) ?
Le (mot) de la fin ?

5 Répondez à ces questions, puis posez-les à votre voisin(e).

Des mots qui entraînent chez vous...

l'amusement · la tristesse · la tendresse · l'émotion · la douleur · le bonheur
l'étonnement · l'inquiétude · la peur · l'énervement · la sérénité · la panique

6 Comment pouvez-vous y réagir ?

articuler · balbutier · bégayer · chuchoter · bredouiller
crier · gémir · hurler · murmurer · marmonner

Des mots inconnus

BARAGOUINER TCHATCHE RADOTER CHARABIA

7 Cherchez dans le dictionnaire leur nature grammaticale, leur étymologie, leur sens, leur registre, des synonymes, des antonymes.

Des mots et des registres (standard, soutenu, familier)

Il me dit des mots d'amour, des mots de tous les jours et ça me fait quelque chose. (É. Piaf)

Marquise, vos beaux yeux d'amour me font languir. (Molière)

Ma gonzesse... j'aimerais bien un de ces jours y coller un marmot. (Renaud)

8 Attribuez un registre à chaque phrase. Ensuite, choisissez un sujet (travail, transport ou autre), puis faites des phrases pour chaque registre de langue.

Périple à travers le français parlé

Ici et là, le français parlé a donné lieu à des appropriations très locales. C'est le cas du joual au Québec ou encore du verlan en France et dans les pays francophones européens. Dans les pays d'Afrique, on trouve des mots qui ont subi un glissement de sens, et des néologismes.

Le joual

Le joual (le nom viendrait d'une déformation du mot cheval) est le parler populaire du Québec. Il se caractérise par l'emprunt de termes nautiques pour les activités de la vie quotidienne comme *embarquer* et *débarquer de voiture*. Une autre de ses particularités est de bousculer les genres et on peut parler d'*une belle hôtel* ou encore de *la bonne air*.

Dictionnaire du français qui se cause

PIERRE MERLE

MILAN

Le verlan

Parler verlan c'est mettre les mots à l'envers. Le principe est simple, il consiste à inverser les syllabes des mots. Mais pour des raisons de sonorité, on peut être amené à transformer, rajouter ou supprimer un son (exemple : le mot *mec* qui donne en verlan *keum* ou *keumé*). Si certains mots de verlan sont passés dans le langage familier (*laisse béton, chébran, tromé...*), le verlan reste néanmoins le langage des jeunes et la tendance actuelle est de parler le verlan de verlan, de « reverlaniser » ; ainsi un mot comme *femme* redevient *feume* après avoir été *meuf*. Zarbi, non ?

Le français d'Afrique

Prenons les gros mots par exemple. Alors que les pays francophones européens les rejettent, les pays d'Afrique eux, en sont fiers. Si dans les pays francophones européens les gros mots représentent des écarts de langage et sont peu corrects, pour le français d'Afrique, c'est l'inverse : on parle de gros mots pour les mots savants que seuls les plus cultivés connaissent et qui sont loin de faire partie du vocabulaire courant.
Autre particularité du français d'Afrique : les néologismes tels que *cadeauter, arrièrer, camembérer...*

L'arbre à palabres

En Afrique, sous l'arbre à palabres, se tiennent les palabres, des assemblées où l'on débat de nombreuses questions et où sont prises les décisions importantes pour la communauté.

1 Lisez les textes ci-dessus, puis répondez aux questions suivantes.

1) Qu'avez-vous appris sur le français parlé ?
2) Existe-t-il aussi dans votre pays des manières de parler parallèles à la langue officielle ? Qui les utilise ?
3) Avez-vous retrouvé en français standard les mots cités en verlan ?
4) À votre avis, que veulent dire les néologismes africains cités ?
5) Existait-il ou existe-t-il dans votre pays des réunions semblables à la palabre africaine ? Dans quel contexte se déroulent-elles ?

Parler

EXPRESSIONS POUR...

 1) Quelles expressions connaissez-vous pour comparer, pour expliciter et pour nuancer des idées ?

 2) Complétez votre liste…

comparer	expliciter	nuancer
C'est différent.	Comme par exemple…	À vrai dire, ce n'est pas…, mais plutôt…
C'est autre chose.	Ça revient à dire que…	
Ça n'a rien à voir.	Tout cela pour dire que…	Ce n'est pas aussi simple.
Ça ressemble à…	En fait, il s'agit de…	Dans un certain sens…
C'est tout à fait différent / exactement la même chose.	C'est tout simplement…	En quelque sorte…
Ça revient au même.	Autrement dit…	Pour ainsi dire…
On dirait…	C'est-à-dire…	Ce n'est pas tout à fait exact, je veux dire que…
C'est comme si / pour / quand…	C'est plutôt…	Du moins…
		… jusqu'à un certain point…
		C'est plutôt…

1 **Conversation.**

Par groupes de 2 ou 3, parlez de votre expérience d'apprentissage d'une ou de plusieurs langues étrangères (éléments / circonstances qui aident et / ou qui rendent l'apprentissage difficile). Échangez des conseils sur la manière d'apprendre.

2 **Situation.**

Deux ami(e)s se téléphonent. Il y a eu un malentendu entre eux / elles, ils / elles essayent d'éclaircir ce qu'il s'est passé.

3 **Monologue.**

Racontez un souvenir ou une anecdote lié(e) à une émotion provoquée chez vous par les propos de quelqu'un. Précisez quand et où cela s'est passé, qui a tenu les propos et décrivez l'émotion que vous avez ressentie.

4 **Interview.**

Par groupes de 3, interviewez-vous pour connaître votre passé linguistique : votre langue maternelle, vos premiers souvenirs liés à celle-ci, les autres langues que vous avez apprises (comment, pourquoi, quand…).

Biographie langagière

Je ne garde aucun souvenir des langues parlées autour de moi pendant ma toute petite enfance ; pourtant j'ai vécu en Tunisie jusqu'à l'âge de quatre ans et je sais par mes parents que l'arabe, le français et l'italien étaient également et fortement présents dans mon environnement sonore. À la maison, le français ; dans la rue, chez les voisins et dans les magasins, l'arabe et l'italien. Ai-je compris certains mots prononcés dans une autre langue que le français et les ai-je répétés ? Ai-je eu au moins conscience des changements de langues – sons différents, musiques des phrases et gestualités différentes - ? Je ne saurais le dire. Je n'ai même aucun souvenir de la ville où nous habitions, des habitudes et des comportements de ses habitants. Pourtant quand, beaucoup plus tard, j'ai visité la région du Levant espagnol, j'ai éprouvé la très étrange sensation de reconnaître les paysages, l'ambiance des rues, les odeurs, la chaleur des rapports entre les gens. Leur manière de parler fort m'était également familière. Ce voyage, plus que me plaire ou m'étonner, me bouleversa : j'étais de retour chez moi, j'avais retrouvé mes origines. Je n'ai plus jamais oublié l'évidence de cette certitude (éprouvée nulle part ailleurs) et je suis encore totalement convaincue qu'elle se devait à cette petite enfance pendant laquelle j'avais entendu « tchacher » avec une véhémence des mots et des gestes profondément méditerranéenne.

Mon enfance n'a pas eu « d'autres rencontres » avec les langues étrangères. Bien sûr, tous les ans, nous allions passer un mois dans un petit village près de Collioure : on y parlait le catalan autant que le français et assez souvent, l'espagnol. J'aimais ces changements de langues ainsi que les longues journées de fêtes auxquelles étaient liées des traditions aux noms exotiques : « els castellers », « els gegants »...

Ce n'est que vers 12 ans que j'ai commencé à apprendre ma première langue étrangère. C'était l'espagnol : proximité des territoires et des cultures. Je suis entrée dans cet apprentissage sans appréhension et sans peur du ridicule. J'attendais « quelque chose de nouveau » et j'avais hâte aussi de connaître le professeur dont tout le monde parlait au collège. Mademoiselle Gaudin avait une excellente connaissance de la langue et de la littérature du pays auquel elle consacrait toute sa vie. Elle nous introduisait avec enthousiasme dans cette langue qui nous semblait celle du jeu, une langue, à la fois proche et différente, à laquelle étaient associés des saveurs, des odeurs, des rires, des plaisanteries mais aussi des chants, des pleurs et les chuchotements des nuits de processions de la semaine sainte... Nous n'avions pas beaucoup d'heures de cours, nous devions apprendre tous les rudiments de l'histoire, de la géographie, de la littérature espagnoles et donc le temps que nous consacrions à prononcer et à parler n'a jamais été très long ; de fait, il n'a jamais suffi pour acquérir la prononciation et la fluidité de parole que j'aurais souhaitées. Notre lexique était plus proche de celui de Cervantès que de celui des adolescents espagnols. Mais je ne regrette absolument pas ces limitations puisque se trouvait réuni ce qui pour moi est le plus important dans l'apprentissage d'une langue étrangère : cette implication affective, cette curiosité pour ce qui est différent, cette envie d'apprendre qui fait que l'on retient facilement et que l'on cherche à bien parler une langue pour laquelle on a de l'estime. J'ai donc appris l'espagnol sans même m'en rendre compte, avec facilité et c'est tout naturellement que j'ai décidé plus tard de faire une licence d'espagnol pour l'enseigner à mon tour.

L'apprentissage de l'anglais, par contre, commencé peu de temps après, a été totalement différent : il me semblait beaucoup plus froid, un peu triste, il sentait la pluie et le brouillard ; le professeur semblait s'ennuyer avec nous et je me suis ennuyée à apprendre cette langue. J'ai étudié pour ne pas redoubler, pour obtenir le Bac ; il s'agissait d'une activité scolaire, c'est-à-dire nécessaire, et il m'a fallu bien des voyages en Angleterre pour découvrir d'autres vertus à cette langue qui n'a jamais été la mienne : langue du tourisme, langue de courts échanges sans grande intimité.

Plus tard, j'ai décidé de partir en Espagne et de m'y installer. C'est alors que, peu à peu, les années passant, je suis entrée dans le monde du bilinguisme, territoire mouvant, complexe et passionnant ; mais ça, c'est une autre histoire, plus longue à raconter.

Annie Lévecque (professeur)

Lire

Lisez le récit de la page ci-contre, puis répondez aux questions suivantes.

1) Quelles sont les étapes de la découverte de la langue par l'auteur ?
2) Quelles sensations et quelles actions accompagnent chaque étape de cette découverte ? (Par exemple, pour la toute petite enfance : *regarder, écouter, capter, reconnaître…*)
3) Quelles relations Annie Lévecque entretient-elle avec chacune des langues étrangères apprises et comment explique-t-elle les différences ?

Écrire

1 Écrivez votre propre biographie langagière. Inspirez-vous de celle que vous venez de lire.

2 Maintenant, évaluez-vous !
Attribuez 1 point (-) ou 2 points (+) à chacun des critères ci-dessous.

■ COMMUNICATION (6 points)

Le texte est totalement intelligible, cohérent et bien organisé.	
Le registre est approprié.	
Le sujet est suffisamment développé.	

■ VOCABULAIRE (6 points)

Le vocabulaire utilisé est approprié et précis.	
Le vocabulaire est suffisamment varié pour éviter les répétitions.	
On trouve des mots incorrects mais le sens général reste clair.	

■ GRAMMAIRE (6 points)

Le texte montre une bonne maîtrise de la grammaire.	
Le texte présente peu de fautes systématiques.	
Les erreurs de grammaire ne provoquent pas beaucoup de malentendus.	

■ ORTHOGRAPHE ET MISE EN PAGE (2 points)

L'orthographe et la ponctuation sont assez correctes et on peut suivre le texte facilement.	
Le texte est correctement mis en page.	

La Ferme du Bonheur

LIBÉRATION, JEUDI 4 SEPTEMBRE 2003

Maïa Bouteillet

Le bonheur est chez des Prés

La Ferme, lieu alternatif et culturel, installée depuis 10 ans sur un terrain de Nanterre, a été officiellement reconnue par la mairie.

La Ferme du Bonheur est une anomalie, entre le RER, les barres HLM, l'échangeur autoroutier, la maison d'arrêt des Hauts-de-Seine et deux sites classés Seveso*. Pourtant, une fois franchi le porche au bois vermoulu, un verger, une roseraie, un potager et un sentier dallé débouchent sur un petit théâtre de fortune et un authentique parquet de bal cernés de roulottes anciennes. Bienvenue à Nanterre, version Roger des Prés, ses chèvres, chevaux, poules, chiens, chats et cochons.

[...] Installée sur les ruines d'une ancienne école communale, la Ferme du Bonheur occupe 2 500 m² sans droit ni titre depuis 10 ans. Sommée tous les quatre matins de plier bagages mais jamais délogée, l'association poursuit vaille que vaille sa mission (autodéfinie) « fromages de chèvre et poésie en banlieue rouge ». Sur le papier, ce petit bout de campagne arraché à la ville aurait déjà dû laisser place à une résidence universitaire, des terrains sportifs, un tramway même. Le site intéresse désormais les aménageurs du futur grand axe Seine-Arche. Depuis peu, la Ferme et son « favela-théâtre » sont officiellement reconnus par la mairie de Nanterre, propriétaire du terrain.

« Belle unanimité ». Malgré l'avis municipal d'interdiction de recevoir du public, alors même que le projet culturel bénéficiait d'une aide de la DRAC**, la Ferme n'a jamais fait l'objet d'un arrêté d'expulsion. Adjointe en charge de la vie associative, Sylvie Cabassot évoque « la belle unanimité » qui a prévalu, lors du dernier conseil municipal avant l'été, pour plaider la cause de la ferme. Pourtant, avant elle, aucun élu n'y avait mis les pieds. [...] « C'est un lieu magique, ce serait vraiment dommage qu'il disparaisse » déclare l'adjointe PS, qui, avec d'autres, a demandé qu'on réfléchisse à la relocalisation du Bonheur sur les futures terrasses.

Table d'hôte. Quatre salariés (emplois-jeunes) travaillent à temps plein dans cette utopie de développement durable avant l'heure. Des Prés, lui, vit du RMI. Jeune jardinier issu de l'École nationale supérieure du paysage de Versailles, Antoine Quénardel a partagé pendant plus d'un an le confort précaire de ce quotidien alternatif. Des bulbes provenant de la fête des tulipes de Saint-Denis, des plantes abandonnées à la suite d'un déménagement ou offertes, sont ainsi replantés à la Ferme.

Longtemps tournée vers un public plutôt parisien, la Ferme s'ouvre aujourd'hui au voisinage. Cette année, pour la première fois, elle a participé à la fête des associations de la ville. Le rebelle des Prés s'est assagi. Et tient table d'hôte pour une bonne centaine de profs et d'étudiants de la fac fatigués du Resto U, qui y déjeunent à petits prix, moyennant l'adhésion à l'association et le respect du tri sélectif pour les gamelles des animaux. Œufs frais, petits fromages, légumes et aromates maison contribuent à légitimer l'entreprise nouvellement qualifiée de « sympathique » par la mairie. Entre les deux tours de l'élection présidentielle, tous les soirs, l'association a tenu une « agora » où, pendant un mois, les Nanterrois sont venus parler. Pour prolonger ces rencontres, Roger a créé dans la foulée l'OBM : Observatoire du bonheur municipal. Pourvu que ça dure.

* Site classé Seveso : site où se trouve un danger chimique non contrôlé.

** DRAC : Direction Régionale des Affaires Culturelles

1 Par petits groupes, répondez aux questions suivantes, puis commentez vos réponses en grand groupe.

1) Qu'est-ce que la *Ferme du Bonheur* ? Quelles sont ses caractéristiques : son emplacement, son environnement, les espaces qui la composent ?

2) Quelle mission s'est donnée la *Ferme du Bonheur* ?

3) Comment fonctionne-t-elle ? Quel est le profil psychologique du *fermier-metteur en scène* Roger des Prés ?

4) Quel secteur de la population a recours à ses services ?

5) Quels rapports a-t-elle entretenus et entretient-elle avec la population et la municipalité ?

6) Quels sont les dangers et les risques auxquels elle est exposée ?

2 Regroupez tous les mots qui appartiennent aux champs lexicaux de la ville et de la campagne. Pourriez-vous compléter ces champs lexicaux ?

3 Résumez cet article de *Libération* en quelques lignes.

4 La *Ferme du Bonheur* est-elle vraiment, pour vous, une institution culturelle ? Quel sera, selon vous, son avenir ?

Situation : **Vert-lumière**

1 Écoutez l'enregistrement, puis dites si ces affirmations sont vraies ou fausses.

1) Pedro Sauri vient de fêter son 85e anniversaire.

2) Pour sa nouvelle exposition, il a peint toutes sortes de tableaux mais principalement des aquarelles.

3) Le journaliste veut le rencontrer avant le vernissage de cette exposition car il pense qu'après ce sera très difficile.

4) Pedro Sauri éprouve une véritable obsession pour la lumière.

5) Il craint toujours que l'accueil du public à ses nouvelles œuvres soit tiède, voire critique.

6) Il laisse entendre qu'il met toujours beaucoup de temps à finir un tableau.

7) Il aimerait s'arrêter de peindre, vu son grand âge, mais tout son entourage le pousse à continuer.

8) Chaque fois qu'il remet ses toiles pour une exposition, il ressent comme l'obligation de poursuivre sa recherche.

9) Il passe toujours par une période de vide intérieur avant de pouvoir se remettre à peindre.

10) Deux expositions de Pedro Sauri vont se succéder dans le même musée.

• L'expression du temps : antériorité, postériorité, simultanéité

Observez ces phrases.

Avant d'avoir visité cette exposition, [...] nous avons demandé à M. Sauri un court entretien.
C'est à la lumière que je pense tandis que je peins.
L'émotion qui surgit chez le spectateur lorsqu'il regarde un tableau, à quoi est-elle due ?
[...] après que mon atelier a été vidé [...] il n'y a plus en moi qu'un manque [...]

Repérez les expressions permettant d'introduire une valeur temporelle. Expriment-elles l'antériorité, la postériorité ou la simultanéité ? Sont-elles suivies de l'indicatif, du subjonctif ou d'un autre mode verbal ?

▶ ON PEUT EXPRIMER LE TEMPS...

a) à l'aide d'une proposition subordonnée.

– La proposition principale et la subordonnée expriment **la simultanéité** : *quand, lorsque* (+ soutenu), *au moment où, pendant que, tandis que / alors que, dès que / aussitôt que* (immédiateté)...
Les verbes sont à l'indicatif.
Dès qu'il termine un tableau, il en commence un autre.
– La subordonnée exprime **l'antériorité** : *quand, lorsque, depuis que, dès que / aussitôt que, après que*...
Le verbe est à un temps composé de l'indicatif.
Je te passerai un coup de fil aussitôt que je serai descendue de l'avion.
– La subordonnée exprime **la postériorité** : *avant que (ne), en attendant que, jusqu'à ce que* (indication de la limite)...
Le verbe est au subjonctif.
Il considère ses œuvres inachevées jusqu'à ce qu'elles aient été exposées.

b) à l'aide d'une préposition ou d'une locution prépositionnelle.

– **Simultanéité** : *au moment de* + infinitif / nom ; *lors de, dès, pendant, durant, depuis...* + nom
Il a eu un malaise au moment de commencer la représentation.
Ne sois pas inquiet, je me mettrai au travail dès mon arrivée.
– **Antériorité** : *après* + infinitif passé ; *après, dès...* + nom
Elle a accepté son invitation après en avoir parlé à son amie.
La clôture du festival aura lieu après la remise des prix.
– **Postériorité** : *avant de, en attendant de* + infinitif ; *avant, en attendant* + nom
Je passerai te voir avant de partir.
Les candidats patientaient dans une salle en attendant d'être appelés.

1 Choisissez une des expressions ci-dessus pour compléter les phrases suivantes.

1) Hélène est furieuse ... elle sait qu'elle ne sera pas reprise.
2) C'est mon cousin préféré, j'aimerais le voir ... il ne reparte.
3) Les parents partiront ... les enfants se seront couchés.
4) Je te passe un coup de fil ... partir pour qu'on se retrouve.
5) Le médecin lui a interdit de sortir ... il n'ait plus de fièvre.
6) Je regardais la télé ... les enfants prenaient leur bain.
7) Tu sais que je m'inquiète, alors appelle-moi ... tu seras arrivée.
8) Ne réponds pas ... avoir bien lu sa proposition.

• La mise en relief

– Déplacement d'un élément en début de phrase : *Superbe, ce tableau !*
– Tournure présentative *c'est ... qui / que* en début de phrase : *C'est lui qui a téléphoné.*
– Démonstratif relatif + tournure présentative : *Celui que j'aime, c'est le bleu.*
– Reprise du nom par un pronom : *Il l'aime bien, ta sœur !*
– Nominalisation du verbe : *L'arrivée de l'artiste est imminente.*
– Proposition participe : *Parti tôt, il arriva tard.*

2 Relisez la transcription (page 155) et le texte des Situations, puis repérez les expressions précises qui correspondent aux phrases suivantes.

1) Ce géant de la peinture expose à presque 85 ans ses derniers tableaux.
2) Je pense à la lumière, je tente de la traduire au travers des couleurs.
3) Après avoir remis mes toiles pour une exposition, je ressens un étrange sentiment de mutilation [...]
4) La Ferme et son *favela-théâtre* sont depuis peu officiellement reconnus par la mairie.
5) Des Prés vit du RMI.
6) Elle a participé à la fête des associations de la ville pour la première fois cette année.

Maintenant, comparez les phrases d'origine aux phrases transformées. Que remarquez-vous ? Regardez l'encadré de la page ci-contre sur la mise en relief, puis dites quelle est la structure utilisée dans chaque cas.

● L'opposition et la concession

Quel rapport de sens existe-t-il entre ces deux phrases ?

Le désir de peindre est là très fort. Je ne sais pas où il va me conduire.

▸ L'OPPOSITION

On exprime l'opposition lorsqu'on met en valeur les différences qui existent entre deux faits.
Pour exprimer explicitement l'opposition :
– **locution prépositionnelle** : *au lieu de*
La municipalité a officiellement reconnu la Ferme au lieu de la fermer.
– **conjonctions de subordination** : *alors que / tandis que* (+ indicatif)
Pedro Sauri pense déjà à sa prochaine exposition alors que celle en cours n'est pas encore terminée.
– **conjonctions de coordination** : *mais, pourtant, néanmoins*
La Ferme a été sommée de fermer plusieurs fois, pourtant elle existe toujours.
– **adverbes / locutions adverbiales** : *cependant, toutefois, en revanche, au contraire, par contre...*
Le désir de peindre est très fort, en revanche, je ne sais pas où il va me conduire.

▸ LA CONCESSION

On exprime la concession lorsqu'on présente un événement qui n'a pas lieu comme la logique l'exigerait.
Pour exprimer explicitement la concession :
– **préposition** : *malgré*
Malgré son grand âge, Pedro Sauri continue de peindre.
– **conjonctions de subordination** : *même si* (+ indicatif), *bien que / quoique* (+ subjonctif)
Le désir de peindre est très fort, même si je ne sais pas où il va me conduire.
– **conjonctions de coordination** : *mais, pourtant, néanmoins*
La Ferme a été sommée de fermer plusieurs fois, néanmoins elle existe toujours.
– **adverbes / locutions adverbiales** : *cependant, pourtant, quand même, tout de même*
Il y a peu de lumière dans les œuvres de Pedro Sauri, pourtant c'est à elle qu'il pense quand il peint.

3 Relisez les phrases suivantes et repérez les connecteurs introduisant la concession.

1) –Est-ce vous qui avez choisi le titre de cette exposition ?
   –Bien sûr ! Et cependant je reconnais qu'il n'y a pas beaucoup de lumière dans mes œuvres.
2) C'est à la lumière que je pense et, pourtant, comme il est difficile de la refléter !
3) Même si le désir de peindre est là, je ne sais pas où il va me conduire.
4) Malgré l'avis municipal d'interdiction de recevoir du public, la Ferme n'a jamais fait l'objet d'un arrêté d'expulsion.

4 Terminez les phrases suivantes en gardant le sens des phrases ci-dessus.

1) C'est moi qui ai choisi le titre de l'exposition bien que...
2) C'est à la lumière que je pense mais...
3) Le désir de peindre est là, pourtant...
4) La Ferme n'a jamais fait l'objet d'un arrêté d'expulsion même si...

Presse et cinéma francophones
Les journaux

1 Commentez par petits groupes les points suivants, puis parlez-en en grand groupe.

1) Connaissiez-vous le nom de tous les journaux présentés sur cette photo ou n'en connaissiez-vous que certains ? Lesquels ?

2) Lesquels de ces journaux trouvez-vous facilement dans votre ville ? En trouvez-vous d'autres qui ne sont pas sur cette page ?

3) Connaissez-vous ces journaux seulement de nom ou en avez-vous déjà feuilleté certains ? Lesquels ?

4) Parcourez-vous certains quotidiens francophones sur Internet ? Régulièrement ? Lesquels ? Pouvez-vous donner leur adresse à vos camarades ?

5) En achetez-vous certains et les lisez-vous régulièrement ?

6) Pouvez-vous classer les journaux présentés sur la photo en fonction de :
   – leur pays d'origine ?
   – leur(s) zone(s) de distribution ? leur tendance politique… ?

7) Pouvez-vous faire quelques commentaires complémentaires concernant ceux que vous connaissez un peu ?

2 Choisissez un des journaux qui sont à votre disposition.

1) Feuilletez-le et notez vos premières impressions (format, type de papier, couleurs, nombre, choix et grandeur des photos, grosseur des titres et sous-titres, quantité de publicité…).

2) Le trouvez-vous attrayant ? maniable ? facile à lire ? rapide à lire ? Aimeriez-vous en faire votre quotidien ?

3) Regardez-le un peu plus attentivement : quelles sont ses rubriques ? À quelle page les trouve-t-on ? Sur combien de pages ? Quels titres sont présents à la Une ? Quelle est la place et la longueur de l'éditorial ? Où est la page consacrée au cinéma ? Quels films français passe-t-on ?

4) À votre avis, quel type de public ce journal cible-t-il ? le grand public ? les intellectuels ? tous les publics d'une région ou d'un canton déterminés ? d'autres publics ?

Gros plan sur le cinéma des années 2000

Qui a oublié *Le fabuleux destin d'Amélie Poulain* ?

Film que l'on doit au réalisateur Jean-Pierre Jeunet et qui retrace la vie d'Amélie Poulain, jeune serveuse dans un bar de Montmartre. Avec son air malicieux, Amélie, dont la vocation est de rendre heureux ceux qui l'entourent, a fait le bonheur de nombreux spectateurs dans le monde entier. Le film a eu sa part de consécration en obtenant en 2002 le César du meilleur film et du meilleur réalisateur et a connu un immense succès, totalisant 8 millions d'entrées en France et plus de 7 millions dans le monde. Si le public a en général applaudi cette fable pour adultes et la manière dont le cinéaste a traité avec une légèreté rafraîchissante les « petites misères de la vie quotidienne », certains spectateurs ont cependant critiqué cette candeur factice et le monde confiné où l'héroïne évolue.

Parmi les films qui ont fait rire au début des années 2000 : *Le Placard*. Une comédie signée Francis Veber qui a fait une brillante carrière en France mais aussi à l'étranger puisqu'elle s'est classée dans les dix films français les plus vus. Le public a beaucoup ri des situations à la fois délirantes, énormes et parfois émouvantes dans lesquelles se trouve plongé le héros, François Pignon, un timide comptable d'une entreprise de préservatifs qui se fait passer pour un homosexuel afin d'éviter d'être licencié. Ce fait va, bien sûr, déclencher des quiproquos. Beaucoup ont considéré le film comme une comédie très subtile et toute en nuances.

Une fois n'est pas coutume et *Les Triplettes de Belleville*, film d'animation de Sylvain Chomet et de production francophone, acclamé lors de sa présentation au festival de Cannes 2003, a récolté, lui aussi, une large audience. *Les Triplettes*, c'est avant tout une histoire et des personnages comme Madame Souza, la gentille grand-mère qui entraîne son petit-neveu, Champion, passionné de cyclisme. Mais il est kidnappé pendant le Tour de France et la vieille dame n'hésite pas à se lancer à la poursuite des ravisseurs, occasion pour elle de rencontrer les Triplettes, anciennes vedettes de music-hall. Le film a surpris par son originalité, son rythme, ses clins d'œil et il a été considéré par les amateurs du genre comme un petit bijou d'humour et de délicatesse. Intégrant une technologie 3D à une technique de dessin traditionnel, il se passe pratiquement de dialogue car tout réside dans le jeu des protagonistes, inspiré du mime et des grands comiques du cinéma muet.

3 Avez-vous vu un des films présentés ? Êtes-vous d'accord avec ce qu'on en dit ? Sinon, pourquoi ? Pour vous, quels autres films ou acteurs francophones ont marqué ces dernières années ?

Choisissez l'option qui convient (a, b, c) pour compléter le texte suivant.

Le fabuleux destin d'une productrice

Avant de s'envoler pour Hollywood, la productrice du *Fabuleux destin d'Amélie Poulain,* cinq fois … (1) aux Oscars, vient de recevoir le prix Veuve-Clicquot de la femme d'affaires.

Adolescente, elle s'imaginait sûrement en Marilyn, mais … (2) parce qu'elle sait mieux que personne accompagner le … (3) des autres qu'elle peut aisément … (4) les vedettes aujourd'hui. … (5) ce n'est pas son genre. Claudie Ossard a le sourire sincère, l'humeur au beau fixe et la courtoisie égale, que l'on soit technicien ou … (6). Fille de … (7), elle s'essaie logiquement à la carrière … (8) se tourner vers le film publicitaire, qui va lui donner les moyens de son indépendance. Elle lance en 1986 une seconde société, Constellation, pour monter *37°2 le matin.* Le premier essai se révèle un… (9). […]

VSD. Comment se lance-t-on dans la production ?

Claudie Ossard. … (10) longtemps j'ai fait des films de pub. On ne fait pas un film pour faire un film quand on n'a que trente secondes, il faut être motivé par le sujet ou par le réalisateur. Cela permet de voir si on a, ou pas, des atomes crochus. J'étais très … (11) par le travail de Beineix … (12) j'avais fait une pub. Quand on recherche la même qualité dans le travail, il y a osmose. J'ai donc été propulsée dans le milieu du cinéma avec *37°2 le matin.* Le projet avait été refusé par les chaînes télé. Le sujet et la personnalité de Beineix faisaient peur. On arrivait … (13) *La lune dans le caniveau.* J'ai investi beaucoup de fonds propres gagnés dans la pub, soit la moitié du financement du film, … (14) était très risqué. Mais je n'avais aucun doute. […]

Vous attendiez-vous à un tel raz de marée avec *Amélie* ?

C. O. Ce n'est palpable que … (15) le film est fini. On l'a présenté … (16) dix villes de province … (17) la sortie. Quand on a droit à plusieurs reprises à une standing ovation, c'est rassurant. *Amélie,* c'est un phénomène social. Plus de 23 millions de personnes … (18) monde entier l'ont vu. J'ai regardé ce film plus de trente fois … (19) il est terminé et à chaque fois je suis « cueillie ».

Mais quand un film se révèle un bide, comment se remet-on de l'échec ?

C. O. *La Cité,* …(20) à ce que l'on croit, a bien marché, mais bien sûr, moins que *Delicatessen.* C'est un film très plein. Un objet à part. Après j'ai eu d'importantes difficultés et des moments très durs, c'est vrai. Mais je suis d'un naturel très optimiste. […]

Catherine Deydier © *VSD,* du 21 au 27 mars 2002.

1)	a) nominée	b) élue	c) appelée
2)	a) elle est	b) est	c) c'est
3)	a) goût	b) talent	c) capacité
4)	a) pratiquer	b) jouer	c) faire
5)	a) Bien que	b) Parce que	c) Même si
6)	a) premier rôle	b) caméscope	c) cinoche
7)	a) interprètes	b) comédiens	c) sénateurs
8)	a) avant de	b) avant que	c) avant
9)	a) coup de fil	b) coup de théâtre	c) coup de maître
10)	a) Depuis	b) Dès	c) Pendant
11)	a) emballée	b) intimidée	c) effrayée
12)	a) avec quoi	b) avec qui	c) dont
13)	a) aussitôt	b) après	c) lors de
14)	a) ce qui	b) celui qui	c) cela qui
15)	a) jusqu'à ce que	b) lorsque	c) lors de
16)	a) dans	b) à	c) en
17)	a) avant	b) avant de	c) pendant
18)	a) au	b) sur le	c) dans le
19)	a) depuis qu'	b) dès qu'	c) aussitôt qu'
20)	a) au contraire	b) par contre	c) contrairement

Au sommaire de ce numéro

OBJECTIFS

▷ Dans ce projet vous allez devenir des journalistes et des rédacteurs à la chasse de l'info.

Pour être à la page.

1 Témoignage-réflexion d'un professionnel. Écoutez les propos de ce journaliste, puis répondez aux questions.

🎧 Ancien correspondant de France 2 dans le Nord, passé au documentaire et à la sociologie, co-auteur de l'ouvrage *Journalistes au quotidien* - sous la direction d'Alain Accardo -, Gilles Balbastre raconte son parcours.

1) Quels sont les sujets abordés par Gilles Balbastre ?
2) D'après son témoignage, quels sont les problèmes dont souffre le journalisme aujourd'hui ?
3) Quelle est sa position par rapport à l'information ?

À vos marques, prêts ?

2 Quel type de journal désirez-vous élaborer : d'information générale, sportive, régionale… ? Pour quel public ? Quel nom choisissez-vous ? Quelle position allez-vous adopter par rapport à l'information ?

Dans la peau de…

3 Choisissez un de ces personnages. De quelle rubrique pensez-vous qu'il va s'occuper ?

La spectatrice assoiffée
La touche-à-tout
L'ethnologue du réel
L'homme de partis
Le vert itinérant
Le chroniqueur sportif
Le pro du boulot

Équipe de rédaction.

4 1) Regroupez-vous en fonction du personnage choisi. Prenez quelques journaux et observez-les. Comment la rubrique dont se chargera votre personnage est-elle organisée ?

- type(s) d'article(s) (brève, interview, éditorial, chronique…)
- absence ou présence d'illustrations
- disposition de la page
- …

2) Décidez de l'organisation de votre page de journal et distribuez-vous les articles à rédiger.

Le bon coup d'œil.

5 1) Prenez un article de la rubrique du journal dont vous avez observé l'organisation et analysez la structure. Correspond-elle au modèle donné ci-dessous ?

Titre — Citation — Légende

LE MONDE/VENDREDI 4 MARS 2005/**7** — Date — Chapeau — Illustration — Signature

UNION EUROPÉENNE

La nouvelle coalition au pouvoir à Bucarest privilégie un « axe » avec Washington et Londres

Des élections anticipées faciliteraient la mise en œuvre des réformes exigées par l'UE

BUCAREST
de notre correspondant

« La Commission européenne va vous aider, mais il dépend de vous de prendre les mesures qui s'imposent, de faire les réformes nécessaires afin de convaincre les États membres de l'UE que vous êtes prêts à rejoindre la grande famille européenne », a lancé le commissaire européen à l'élargissement, Olli Rehn, mardi 1er mars, devant un parterre d'étudiants de l'Académie des sciences économiques de Bucarest. A un mois de la signature prévue du traité d'adhésion, le 25 avril, Bruxelles attend toujours des résultats concrets sur les réformes engagées par la Roumanie dans les domaines de la justice, de la concurrence et de la lutte contre la corruption.

Les négociations sur l'adoption de l'acquis communautaire ont été conclues à temps, fin 2004, pour que le Conseil européen puisse donner son accord, en décembre, à la conclusion du traité d'adhésion, en même temps qu'avec la Bulgarie voisine. Pourtant, cet accord a été assorti, dans le cas de la Roumanie, d'une « clause de sauvegarde » qui permet de reporter, en cas de besoin, l'adhésion de 2007 à 2008, témoignant de la méfiance persistante sur la capacité de Bucarest à tenir ses engagements.

Après les élections législatives et présidentielles qui ont eu lieu à la fin de 2004, le pays a changé de cap politique. Le Parti social-démocrate (PSD), héritier du Parti communiste, qui a négocié le traité, a cédé la place à une coalition comprenant le Parti national libéral (PNL) et un petit Parti démocrate (PD) dirigé par le maire de Bucarest, Traian Basescu, qui a été élu président. Toutefois, malgré cette victoire de l'ancienne opposition, considérée comme un divorce avec le passé

En visite à Bucarest, mardi 1er mars, le commissaire européen Olli Rehn a pressé les autorités roumaines de traduire rapidement leurs « déclarations dans des faits » en matière de justice et de lutte anticorruption.

MIHAI BARBU/REUTERS

communiste, la lutte contre la corruption n'est pas gagnée d'avance. Lundi 28 février, à l'issue d'un premier conseil national de défense, le nouveau président a estimé que son niveau endémique *« met en danger la sécurité nationale ».*

SIGNAUX CONTRADICTOIRES

Sa mission ne sera pas facile. Composé de quatre partis politiques, l'actuel gouvernement de coalition ne semble pas préparé à relever le défi. Après l'installation de Traian Basescu dans le fauteuil présidentiel, son Parti démocrate a perdu la boussole. L'équipe de jeunes politiciens qui a contribué à sa victoire s'est vue marginalisée par la vieille génération qui a fondé le PD dans les années 1990, et a capté les postes les plus importants, suscitant des frustrations. Le PNL du premier ministre Calin Popescu-Tariceanu s'est imposé dans la coalition avec une politique très libérale, faisant notamment adopter un taux d'impôt unique de 16 %. Ses dirigeants, très liés aux milieux d'affaires, ont valu à l'exécutif de Bucarest le surnom de *« gouvernement de brokers »* en raison de la fortune de plusieurs ministres. Ces deux partis avaient laissé entendre à leur électorat qu'ils fusionneraient après les élections mais, une fois arrivés au pouvoir, ils n'ont pas tardé à prendre des chemins séparés.

Pour gouverner, ils ont dû, en outre, passer alliance avec deux autres formations. Le parti de la minorité hongroise, l'Union démocratique des Magyars de Roumanie (UDMR), fidèle à sa vocation, s'en tient à des revendications ethniques. En revanche, la quatrième composante de la coalition, le Parti humaniste roumain (PUR), pose un problème de crédibilité en matière de lutte contre la corruption. Il est dirigé par Dan Voiculescu, un personnage sur lequel la presse roumaine s'est souvent interrogée à propos de ses liens avec l'argent de l'ancienne Securitate, la police politique du régime Ceausescu.

Dans ce contexte fragile, l'éradication de la corruption et l'indépendance de la justice sont loin d'être acquises. Le président Basescu pense convoquer des élections anticipées après la signature du traité d'adhésion, le 25 avril. Il espère qu'il en sortirait une majorité plus claire qui permettrait de s'attaquer pour de bon aux groupes d'intérêts qui ont la mainmise sur la politique roumaine depuis la chute du régime communiste, il y a quinze ans.

M. Basescu va devoir convaincre les Européens de faire preuve de patience. Or les signaux qu'il envoie sont parfois contradictoires, comme la volonté affichée par le président de privilégier, dans ses relations extérieures, un *« axe Washington-Londres-Bucarest »,* ce qui n'est pas d'une grande habileté vis-à-vis des avocats traditionnels de l'adhésion roumaine, la France et l'Allemagne. La Roumanie, qui devrait accueillir des installations militaires américaines sur son sol, se voit déjà, avec l'aide de Washington, jouer un rôle de catalyseur de la démocratie dans le bassin de la mer Noire, où l'Ukraine, la Géorgie mais aussi la Moldavie manifestent leur indépendance vis-à-vis de Moscou. En visite à Bucarest le 25 février, le ministre français des affaires étrangères, Michel Barnier, a avoué qu'il avait eu *« un peu de difficulté à comprendre cet axe entre Bucarest, Londres et Washington ». « Quand on entre dans l'Union européenne, le premier réflexe doit être européen »,* a-t-il déclaré. *« C'est l'intérêt de la Roumanie d'avoir ce réflexe »,* a-t-il ajouté.

M. Br.

2) À quoi servent chacune de ces parties ?

a) À attirer le regard du lecteur.
b) À identifier l'auteur.
c) À donner l'information se rapportant à la photo ou à l'illustration.
d) À mettre en valeur une partie de l'article.
e) À résumer le contenu de l'article.
f) À attirer l'œil du lecteur.
g) À situer dans le temps.

À vos plumes.

6 Écrivez votre article et soumettez-le au correcteur du journal.

La belle « phote ».

7 À quoi peut mener une faute d'orthographe ?

Que de coquilles !

Une lettre en moins... et la phrase prend soudain un tour cocasse ou coquin.

L'intervention rapide des pompiers de Sorèze a permis d'étendre l'incendie. La Dépêche du Midi

Une gastro-entérite a coulé au lit toute sa famille. Ouest-France

Pourtant, cette coucherie-charcuterie fonctionne avec une clientèle régulière. Sud-Ouest

Tous les acteurs de ce projet ont poussé un œuf de soulagement. Le Progrès

Faire revenir les tomates coupées en mamelles. La Dépêche

Il mérite de monter sur la plus haute marche du sodium. La Tribune

Les deux équipes s'observent, s'épilent et restent au coude à coude. Ouest-France

Les demandes affluent des quatre cons de France et de Navarre. Le Midi Libre

Le vent marin a fait baiser le mercure. La Dépêche

Une nature morte qui compote un saladier et deux oranges. L'Éveil

La plupart des enfants ont des pastilles gustatives très sensibles. Le Dauphiné libéré

Les ballots de paille se sont embrassés. Sud-Ouest

Une plante a été déposée en gendarmerie. Le Progrès

Pour tout l'or des mots, C. Gagnière, © Éditions Robert Laffont,
Le Sottisier des journalistes, P. Mignaval, © Éditions Hors Collection

Invitation à la lecture.

8 1) Regardez les titres ci-dessous. Quels jeux de mots retrouvez-vous ?

AUTO/F1

Après le Grand Prix de Monza, dimanche Schumacher reprend la main et... le moral.

Midi Libre, mercredi 17 septembre 2003

PORTRAIT

Jenson Button. À 24 ans, ce prometteur pilote de Formule 1, idole glamour des tabloïds anglais, est en pole position pour un titre mondial dans un avenir proche.
Il va faire les courses.

Libération, lundi 12 juillet 2004

TOURISME

La cité vauclusienne accuse les bulletins météo de faire chuter la fréquentation. Le soleil jette un froid sur Carpentras.

Libération, lundi 12 juillet 2004

LAÏCITÉ : le projet de loi dévoilé

Publié hier, le texte ne calme pas la polémique, même chez les partisans de l'interdiction des signes religieux.

Libération, lundi 8 janvier 2004

INTERVIEW

Monique Grinard, ex vice-présidente du conseil général
" Les élus doivent mettre la main à la poche ".

Midi Libre, mercredi 17 septembre 2003

LES MAUX DE L'AMÉRIQUE DANS LES MOTS DE SES ARTISTES

Elle, 14 octobre 2002

CARNAGE

Trois cent mille baleines assassinées : cétacé !

Marianne, 23 au 29 juin 2003

ÉTHOLOGIE

De l'instinct paternel chez les primates. Pères hors pair chez les babouins.

Libération, mardi 16 septembre 2003

ÉCONOMIE

Raffarin pompe le contribuable...
La taxe sur le gazole augmentera de 2,5 centimes en 2004.

Libération, mardi 16 septembre 2003

2) Trouvez des titres accrocheurs pour votre article.

9 Et si ça vous tente, créez un jeu pour votre journal.

Prêt pour le tirage.

10 Montez votre journal et décidez comment vous allez le diffuser.

4 Le marché en main

LES PAPILLONS   RESTAURANT

OBJECTIFS

▷ Expliquer et commenter son parcours professionnel et son métier.

▷ Décrire une publicité.

▷ Comprendre / Intervenir dans des conversations ou des discussions sur le monde du travail et sur l'économie.

▷ Comprendre / Raconter des anecdotes sur de petits boulots, sur le travail en général (registre familier).

▷ Comprendre une émission de radio (gastronomie et œnologie).

▷ Lire des textes descriptifs, explicatifs, argumentatifs et prescriptifs (presse, brochures spécialisées, extrait d'une œuvre littéraire).

▷ Écrire des lettres officielles.

▷ Observer, dans un discours spontané, l'utilisation des registres de langue et les marques de l'expressivité.

▷ Réfléchir à la manière de se présenter et de s'exprimer dans un contexte professionnel.

▷ Réfléchir à des stratégies de compréhension de textes écrits.

Au pays des chasseurs de têtes

1 Échange.

Qu'évoque pour vous l'expression *chasseur de têtes* ? Faites des hypothèses sur son sens.

Un parfum de mystère entoure le métier de chasseur de têtes même s'il est en soi une activité de service et obéit à des règles précises.

Vous êtes un cadre technique ou supérieur compétent. Le travail que vous exercez actuellement ne vous déplaît pas franchement, mais il ne vous subjugue pas non plus. Vous le connaissez par cœur, en maîtrisez toutes les subtilités et votre quotidien n'est plus aussi stimulant. Vous pensez en plus qu'il serait temps pour vous de progresser dans votre carrière : vous commencez peut-être à rencontrer de réelles difficultés avec un supérieur hiérarchique peu ouvert au changement ou vous vous rendez compte que votre entreprise n'est pas porteuse d'avenir.

En résumé, vous aimeriez trouver un meilleur emploi. Trois possibilités s'offrent alors à vous :

- Vous activez votre réseau d'amis et votre carnet d'adresses. Ce n'est pas inutile, car au moins, vous réactualisez vos connaissances du marché. Mais vos chances de succès sont tout à fait aléatoires, dépendent d'une opportunité qui peut se présenter... ou non.

- Vous lisez les annonces d'emploi dans un journal ou, mieux encore, sur Internet. Là encore, ce n'est pas du temps perdu, car vous apprenez ainsi quelle est l'offre correspondant à votre profil. Mais la plupart du temps, vous ne savez pas exactement quel type d'entreprise se cache derrière l'annonce. En cas de refus, vous restez sans réponse à vos questions. La recherche d'emploi par le biais des petites annonces n'est pas toujours couronnée de succès, et c'est de toute façon une stratégie passive.

- Vous prenez contact avec un chasseur de têtes ou, mieux encore, un chasseur de têtes vous contacte.

Comment travaillent les chasseurs de têtes ?

Il y a vingt ans à peine, les chasseurs de têtes étaient encore considérés comme des bêtes bizarres. Ils travaillaient essentiellement sur le secteur restreint du top-management, leurs méthodes passaient pour mystérieuses, voire louches. [...] Le chasseur de têtes travaille sur commande de l'entreprise. À une exception près : quand il sait que telle ou telle entreprise cherche du personnel et que, de son côté, il connaît un cadre qui cherche à bouger et serait qualifié pour le poste. Dans ce cas, il met en relation les partenaires. Mais ce cas de figure est plutôt exceptionnel dans la vie d'un chasseur de têtes. La plupart du temps, une entreprise fait appel à lui pour qu'il lui trouve la personne la plus qualifiée sur le marché du travail. Il ne se contente pas alors de transmettre les candidatures qu'il reçoit ou de mettre en relation au gré des hasards, mais il mène une recherche active et donne à l'entreprise un rapport précis sur les personnes actuellement disponibles sur le marché. Il peut influer sur la recherche en excluant telle entreprise ou en lui préférant telle autre. [...]

Comment se déroule un entretien avec un chasseur de têtes ?

Un bon chasseur de têtes interviewe chaque semaine plusieurs candidats. Même s'il cherche pendant l'entretien à vous donner l'impression que vous êtes le seul, il en voit en général beaucoup d'autres avant et après vous. Tâchez de sortir du lot en lui envoyant avant l'entretien un CV et une photo. N'oubliez pas de mentionner le salaire (pas d'approximations, le chasseur de têtes connaît le marché), votre mobilité et vos délais de départ. Le plus important est de faire état de vos points forts et de les mettre en valeur. Vous pouvez les faire connaître également au moyen de contributions dans des plaquettes d'entreprises ou des journaux spécialisés. Vous aurez tout à gagner en vous rendant à des réunions et des séminaires, en faisant partie d'associations professionnelles. Faites tout ce que vous pouvez pour vous faire connaître, mais pas d'exagération. Dites ce qui est !

Est-il probant d'écrire à un chasseur de têtes ? C'est évident, mais n'attendez pas de réaction immédiate ! Il vous appellera quand il aura quelque chose qui correspond à votre profil. Armez-vous de patience, travaillez avec plusieurs chasseurs de têtes en même temps et rappelez-vous à leur bon souvenir en les appelant de temps à autre.

C. Leciejewski © www.fr.jobpilot.be

2 Lisez le texte ci-contre, puis répondez aux questions suivantes.

1) Où peut-on trouver ce genre de texte ? À qui s'adresse-t-il ? Qui pourrait en être l'auteur ?
2) Qu'est-ce qu'un chasseur de têtes ?
3) Comment travaille-t-il ?
4) Est-ce que la façon de considérer les chasseurs de têtes a changé ces dernières années ?
5) Quelle est la cible principale des chasseurs de têtes ?

3 Trouvez dans le texte les mots ou expressions dont vous avez ci-dessous des synonymes.

a) séduire, fasciner
b) contrôler
c) groupe
d) possibilités
e) au moyen de
f) étroit, limité
g) suspectes
h) de façon aléatoire
i) l'ensemble
j) positif, décisif

Situation > Les petits boulots

1 Échange.
Qu'est-ce pour vous qu'un job ou un petit boulot ? Quelles caractéristiques ont-ils ? Pouvez-vous citer des exemples ? Vous-même, avez-vous eu des jobs, lesquels et à quelle occasion ? Sont-ils utiles, selon vous, sur le plan professionnel ?

2 Écoutez l'enregistrement. Voici trois résumés des propos tenus par les deux jeunes filles au sujet de leurs jobs. Des erreurs s'y sont glissées. Retrouvez-les et corrigez-les.

1) Étant donné qu'elle avait le permis de conduire, Geneviève a pu se faire engager pour son premier emploi. Cela consistait à vendre des glaces. Pour cela, elle se rendait en camionnette dans un petit village où les habitants étaient prévenus de son arrivée grâce à une petite musique. Elle s'est vue obligée d'arrêter de le faire sous prétexte que le propriétaire a eu un jour besoin de sa camionnette.

2) Sandra a tenu la caisse dans un fast-food après un voyage en Angleterre. Il s'agissait d'un travail temporaire à mi-temps qu'elle a fait pendant un mois. Pour déjeuner, le restaurant en question lui offrait un plat qu'elle prenait plaisir à déguster.

3) Une autre activité lucrative de Geneviève quand elle était étudiante a été de vendre des frites dans une foire-exposition. Un jour, elle s'est brûlé la main. Elle trouvait le travail fatigant mais en contrepartie elle était déclarée et très bien rémunérée. En outre, elle avait à sa disposition un endroit où se reposer, si bien qu'elle pouvait faire une pause quand elle en éprouvait le besoin.

emploi

Bar-glacier ▼
rech. serveuse expérimentée
Bon salaire, nourrie, logée
Tel : 02 354 37 09

Librairie ▼
ch. JF pour vente en librairie
3j/semaine ; horaires nocturnes
Contacter Mme Delourmel
au journal

Ch. pour service restauration rapide ▼
Personnel H/F, disponible de suite, mi-temps, horaires à déf.
Réf : n°93118

Sté Nettoyage ▼
Rech. pour remplacement ouvriers nettoyeurs
avec permis de conduire
Tel : 01 447 23 91

immobilier

Chambre/Studio/T1 ▼

3 Un petit tour d'horizon. Relevez dans le dialogue les mots en rapport avec…

a) les lieux.
b) les transports.
c) l'alimentation.

4 Quel(s) mot(s) Geneviève emploie-t-elle souvent pour ponctuer son récit ?

5 Laquelle des petites annonces ci-dessus correspond à un des jobs évoqués ?

L'expression de la cause

Observez les phrases suivantes. Repérez les expressions qui introduisent la cause.

Geneviève a pu se faire engager pour son premier emploi parce qu'elle avait le permis de conduire.

Les habitants étaient prévenus de son arrivée grâce à une petite musique.

Le propriétaire l'a licenciée sous prétexte qu'il avait besoin de son véhicule.

Activer votre réseau d'amis et votre carnet d'adresses n'est pas inutile, car au moins, vous réactualisez vos connaissances du marché.

Quelle expression introduit une cause considérée comme positive ? Une cause que l'on conteste ?
Et lesquelles introduisent une cause neutre ?

Remplacez les expressions ci-dessus par des expressions équivalentes.

> **EXPRESSION DE LA CAUSE**

conjonctions de subordination	parce que, puisque (cause connue de l'interlocuteur), comme, étant donné que, sous prétexte que…
mots de coordination	car, en effet…
prépositions et locutions prépositionnelles	pour (cause vue comme une punition ou une récompense), à cause de (cause négative), grâce à (cause positive), en raison de, à force de (idée d'intensité ou de répétition)…
le participe présent	(voir leçon 8)
lexique	la raison, le prétexte, le motif… être dû à, être causé par, être à l'origine de…

1 Reliez les phrases suivantes à l'aide d'une expression introduisant la cause.

1) Elle n'a pas pu envoyer son CV. Son imprimante ne marche pas.

2) Mathieu souhaite changer de travail depuis longtemps. Il a pris contact avec plusieurs chasseurs de têtes et espère recevoir bientôt de leurs nouvelles.

3) Les chasseurs de têtes étaient considérés comme des bêtes bizarres. Les gens ne connaissaient pas leurs méthodes de travail.

4) La camionnette était souvent en panne. Elle était très vieille.

5) Le propriétaire n'a pas voulu payer Geneviève et son copain pour leur travail. Ils avaient cassé l'embrayage de la camionnette dans laquelle ils vendaient les glaces.

6) Sandra aurait bien aimé vendre des glaces. Elle adorait en manger.

7) Geneviève avait une blessure à la main. Avec le sel, celle-ci n'arrivait pas à guérir.

8) On avait préparé un lit de camp pour que les employés se reposent pendant leurs heures libres. La baraque à frites travaillait 24 heures sur 24.

L'expression de la conséquence

Observez les phrases suivantes et repérez les expressions qui introduisent la conséquence.

Vous aimeriez trouver un meilleur emploi. Trois possibilités s'offrent alors à vous…

Elle avait à sa disposition un endroit où se reposer, si bien qu'elle pouvait faire une pause quand elle en éprouvait le besoin.

Observez ce tableau, puis remplacez les expressions ci-dessus par des expressions équivalentes.

conjonctions de subordination	si bien que, de sorte que, à tel point que…
mots de coordination	alors, donc, par conséquent, c'est pourquoi, en conséquence, d'où, en effet
adverbes	si, tellement, tant que…
lexique	la conséquence, le résultat, la conclusion, l'effet… causer, provoquer, occasionner, entraîner, amener…

2 Reliez les phrases suivantes à l'aide d'une expression introduisant la conséquence.

1) Tes propos l'ont vexée. Elle ne viendra pas à la soirée.
2) Le pouvoir d'achat a beaucoup baissé. Peu de gens peuvent partir en vacances.
3) L'avion avait du retard. Nous avons attendu 2 heures à l'aéroport.
4) Il a plu des cordes tout le week-end. Les enfants n'ont pas pu aller jouer dehors.
5) Leur voiture est tombée en panne. Ils sont arrivés en retard.
6) Le chef d'orchestre a eu un malaise. Le concert a été annulé.

● L'expression du but

Observez ces phrases.

*Faites tout ce que vous pouvez **pour** vous faire connaître, mais pas d'exagération.*
*La plupart du temps, une entreprise fait appel à lui **pour qu'**il lui trouve la personne la plus qualifiée sur le marché du travail.*

Quel mode verbal suit les mots en caractères gras ? Pourquoi ? Par quels autres mots pouvez-vous les remplacer ?

⟩ MOYENS D'EXPRIMER LE BUT :
– **Conjonctions de subordination :** *pour que, afin que, de sorte que, de façon à ce que, de manière à ce que, de peur que* (but à éviter)… (+ subjonctif)
— **Locutions prépositionnelles :** *pour, afin de, de manière / façon à, en vue de, dans le but de…* (+ infinitif)
— **Lexique :** *le but, l'objectif, l'intention…*
Attention à l'expression *de sorte que* !

de sorte que + indicatif → expression de la conséquence
Mes parents ont pris leur retraite de sorte qu'ils auront beaucoup de temps libre.
de sorte que + subjonctif → expression du but
Jacqueline a donné son numéro de portable à tous ses amis de sorte qu'ils puissent la joindre à tout moment.

MES PARENTS ONT PRIS LEUR RETRAITE, DE SORTE QU'ILS AURONT BEAUCOUP DE TEMPS LIBRE.

3 Repérez, dans les phrases suivantes, les locutions introduisant le but et remplacez-les par une autre expression de même valeur.

a) Dans le bureau, il n'arrête pas de bouger de manière à être remarqué de tous.
b) Dans le bureau, il n'arrête pas de bouger de façon à ce que tous les autres employés le remarquent.
c) Le responsable des ressources humaines interviewe les candidats en vue de choisir le meilleur.
d) Le chasseur de têtes reçoit les candidats pour que l'entreprise choisisse le meilleur.

4 Choisissez l'expression qui convient pour compléter le texte.

à cause de / comme / en effet / étant / faute de / pour / puisque / si bien que / voulant

À Val-de-l'Aube (Bouches-du-Rhône) … (1) cagoule, un voleur a enfilé un slip percé de deux trous sur sa tête, il a pris sa carabine et il est parti attaquer le bureau de poste. … (2) impressionner la guichetière, il a essayé de briser la vitre blindée à coups de crosse. Mais … (3) son arme s'est brisée, il a été obligé de s'enfuir. La gendarmerie aussitôt alertée a déclenché le plan Faucon, … (4) pas grand-chose, … (5) le malfaiteur contrarié s'est rendu au chef de la brigade de Lodeaux qui, … (6) son apparence, ne voulait même pas croire que c'était lui qui avait fait le coup. À Nice, une équipe de truands tout aussi malins a fait beaucoup de bruit pour rien. … (7), ils ont dynamité le distributeur d'argent d'un bureau de poste dans les quartiers Sud. La charge … (8) trop forte, elle a pulvérisé l'appareil en même temps que les billets qu'il contenait. Enfin, à Sainte-Hélène des malfaiteurs ont attaqué une crémerie à la voiture-bélier. Ils sont repartis avec 20 centimes qui traînaient dans la caisse … (9) les propriétaires ont décidé de ne pas avertir la police.

Le travailleur et le marché du travail

FORMATION

Vous avez un BAC + 2 technologique et moins de 26 ans

Devenez ingénieur par apprentissage

Sanction des études : CERTIFICAT DE CAPACITÉ PROFESSIONNELLE
Rentrée : 12 décembre 2005 Recrutement national

ENTREPRISE INTERNATIONALE
recherche pour la région lyonnaise

JF 22-25 ans niveau BTS

assistante de direction parlant
couramment deux langues étrangères

LE CENTRE HOSPITALIER ROGER DUMAS

30 km sud de Paris recrute pour ses secteurs de gériatrie adulte

INFIRMIER(ÈRE)S DIPLÔMÉ(E)S

pour participer à la mise en place de nouveaux projets
au sein de l'établissement. Self et crèche sur place.

Le travailleur

Études et formation initiale

Pour accéder au monde du travail, plusieurs filières sont possibles.

▶ Des études secondaires et universitaires : licence, maîtrise, DEA*, doctorat. Le jeune a alors une formation BAC + 3, 4… Il est diplômé en sciences physiques, histoire…
*DEA : diplôme d'études approfondies

▶ Des études techniques : BAC technique ou professionnel + BTS**, DST**. Le jeune a alors une formation technique ou technologique.
**BTS : brevet de technicien supérieur ; DST : diplôme supérieur de technologie

▶ Une formation plus individualisée par formations courtes accumulables à partir de la fin des études obligatoires (16 ans).

Cette formation théorique peut être complétée par une formation pratique (stage) en entreprise, par un séjour dans un autre pays, ou autre.
Certaines filières peuvent déboucher sur un concours d'entrée dans l'administration publique. Si le candidat est reçu, il sera fonctionnaire de la justice, de la santé…

1 Quels genres d'études permettent, actuellement, de trouver plus rapidement du travail dans votre pays ? Quelle(s) filière(s) conseilleriez-vous à des jeunes ?

À la recherche du premier emploi

1) Tout d'abord, mieux connaître ses compétences et ses traits de caractère pour savoir quel type d'activités correspond à ses attentes :

  ▶ activités techniques exigeant la manipulation d'objets et d'outils, la réflexion et la résolution de questions abstraites et intellectuelles ;
  ▶ activités créatives qui demandent indépendance, sensibilité, originalité ;
  ▶ activités ayant pour but d'aider, de porter assistance à autrui ;
  ▶ activités centrées sur l'action avec tous les risques que cela comporte ;
  ▶ activité régulière, organisée, méthodique.

2) Ensuite, multiplier les stratégies de recherche :

C'EST LE PISTON QUI FAIT MARCHER LA MACHINE

Faire un bilan de compétences.

Aller voir un recruteur ou « chasseur de têtes ». ◀ **COMMENT CHERCHER UN BOULOT ?** ▶ Mettre à profit ses contacts (ses relations, son piston).

Envoyer des lettres de candidature.   Consulter les offres d'emploi.

2 Quel est votre profil ? Quel(s) genre(s) d'activité(s) préférez-vous ? Êtes-vous fidèle à un genre d'activités ou avez-vous des attentes et des talents diversifiés ? Comment en avez-vous pris conscience ?

Le marché du travail

secteurs professionnels

professions libérales ; professions liées aux secteurs industriel, commercial, financier ; artisans et exploitants agricoles…

métiers

de la création, de la santé, de la justice, de l'agriculture et de l'agroalimentaire, de la banque, de la comptabilité et de la gestion, des ressources humaines…

3 Pouvez-vous commenter et compléter cette liste, puis citer des métiers qui appartiennent à ces différents domaines ? Quels sont, d'après vous, les métiers d'avenir ?

Hiérarchie professionnelle

STATUT DES TRAVAILLEURS

salariés
permanents, temporaires, saisonniers, vacataires, intérimaires
à temps plein / à temps partiel
ayant un contrat à durée indéterminée (CDI) ou déterminée (CDD)

horaires
fixes
flexibles
par roulement
journée continue
les trois-huit

congé(s)
fractionnés
récupérables ou non
formation / maladie / de maternité
RTT*

*RTT : réduction du temps de travail

4 Quels sont les statuts les plus fréquents actuellement sur le marché du travail ? Quels horaires et congés avez-vous ?

Itinéraire professionnel et carrière

5 Distinguez, dans cette liste, les événements positifs et les éléments négatifs de la vie professionnelle.

l'augmentation de salaire, la perte d'emploi, la promotion, le licenciement, la mutation, les félicitations, les encouragements, la mise à l'écart / au placard, la démission, le harcèlement sexuel / moral, la retraite anticipée…

Salaires, budgets…

Avec un poste de travail et les premiers bulletins de salaire, arrivent souvent les premières décisions : acheter un logement ou une voiture, meubler son appartement… Pour cela, il est fréquent de faire un emprunt, de demander un prêt bancaire, de payer ses achats à crédit. Autrement dit, il faut s'endetter, puis rembourser des mensualités, payer ses dettes…

Mais on peut aussi décider d'attendre et de faire des économies pour…

▶ investir dans des plans épargne-logement ou autres.
▶ répondre à des offres de placement.
▶ acheter comptant, un peu plus tard.

De toutes manières, il convient d'établir son budget pour équilibrer ses rentrées d'argent et ses dépenses en calculant les frais fixes (loyer, déplacements, impôts, redevances…) et ce qu'il reste à dépenser librement.

6 Quelles modifications a entraîné (ou entraînera) dans votre vie l'obtention de votre premier poste de travail ? Quels sont les achats ou investissements que vous avez envie de réaliser depuis longtemps ? Êtes-vous partisan d'établir rigoureusement votre budget ou préférez-vous satisfaire vos envies, quitte à « tirer le diable par la queue » en fin de mois ?

Méli-mélo pour parler du boulot

1 Lisez les sentences ci-dessous. Laquelle préférez-vous ? Connaissez-vous des phrases de ce genre sur le thème du travail ?

En période de crise, travail et salaire dépassent rarement les doses prescrites.

La MOTIVATION est une perversité utile pour ceux qui ne savent pas rémunérer.

Quand il y a beaucoup de chefs, c'est la taille du bureau qui en indique le degré d'efficacité.

On sort de la CRISE comme du métro : en se bousculant un peu.

Il est toujours plus facile d'exécuter un ordre idiot que d'en émettre un subtil.

> **TRAVAILLER** ♦ en ancien français, signifie « faire souffrir physiquement ou moralement » . Plus tard, il signifie « molester une personne » ou « abîmer quelque chose » . C'est au XVIe siècle que le verbe acquiert le sens d' « exercer une activité régulière dans le but d'assurer sa subsistance » .

Sentences tirées de *Entreprise… le climat pourrait s'améliorer.* Gabs - Jissey © Eyrolles 2003

2 Regardez ces illustrations. Pouvez-vous raconter des blagues qui reprennent les points critiqués ou qui en abordent d'autres ?

3 Phrases célèbres. Avec laquelle êtes-vous plutôt d'accord ? Quel est votre profil de travailleur ?

> « Jours de travail ! Seuls jours où j'ai vécu. » Alfred de Musset, écrivain (1810 - 1857)
>
> « J'ai tellement besoin de temps pour ne rien faire qu'il ne m'en reste plus assez pour travailler. »
> Pierre Reverdy, écrivain (1889 - 1951)
>
> « Les bons travailleurs ont toujours le sentiment qu'ils pourraient travailler davantage. »
> André Gide, écrivain (1869 - 1951)
>
> « Le travail, c'est la santé, ne rien faire, c'est la conserver. » Henri Salvador, chanteur

Écouter

Une vie de marin

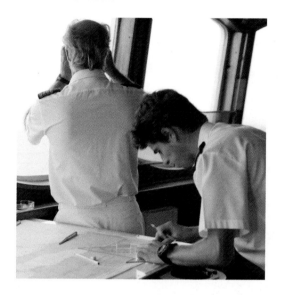

🎧 Écoutez l'interview, puis retrouvez ce que dit le marin sur…

a) les différentes étapes et le dernier échelon de sa carrière.
b) la particularité des pompiers de Marseille.
c) les lieux où il a travaillé.
d) le climat dans les endroits qu'il cite.
e) sa relation avec la mer.

Parler

 1 Conversation.
 Tout comme Geneviève et Sandra, racontez des anecdotes liées à un petit boulot ou à un poste de travail.

2 Monologue.
Présentez au groupe-classe votre itinéraire professionnel et votre poste de travail actuel.

3 Entretien d'embauche.
a) Jouez la scène en tenant compte des indications ci-dessous.

1) Individuellement, choisissez parmi les offres d'emploi de la leçon celle qui vous intéresse.
2) En fonction de l'annonce choisie, mettez-vous par groupes de 2 et décidez qui joue le rôle du recruteur et qui joue celui du candidat.
3) Préparez l'entretien d'embauche : les questions à poser, les réponses à apporter…
4) Jouez l'entretien devant le groupe-classe.
Attention ! Le recruteur devra décider s'il embauche ou non le candidat et justifier les raisons de sa décision.

b) En grand groupe, réfléchissez aux éléments qui ont joué en faveur des candidats et en leur défaveur.
Retrouvez ensuite dans la liste ci-dessous les éléments qui coïncident avec ceux que vous avez commentés.

- La manière d'être, de se présenter, de s'habiller, de parler (gestes, voix…) par rapport à l'offre d'emploi.
- La manière de s'exprimer (ton, registre utilisé, adéquation entre le genre et la longueur des réponses et des questions, précision).
- La capacité à contourner les difficultés, à montrer son intérêt, à dissiper un malentendu, à changer de sujet, à éviter de répondre directement…

Lire

1 Quels sont vos talents ?
À quel profil vous
identifiez-vous ?

TECHNICITÉ

Vos talents

Discipline personnelle. Efficacité dans le travail fourni. Gestion efficace de votre temps pour atteindre les objectifs fixés. Forte implication dans votre travail. Maintien de vos efforts même face aux difficultés. Capacité à trouver des solutions concrètes et pratiques à des problèmes. Soin des outils, de l'équipement et du matériel. Méticuleux et précis dans votre travail.

Votre manière de communiquer

Vous aimez l'authenticité et la franchise mais vous pouvez, parfois, être pris pour un « asocial » car vous n'êtes pas très porté vers les autres.

Mots clés

Conformiste, dogmatique, inflexible, matérialiste, naturel, pratique, réservé, fiable et honnête.

COOPÉRATION

Vos talents

Rôle de soutien auprès des autres. Capacité à inspirer confiance. Aide les autres à trouver des solutions à leurs difficultés. Capacité à favoriser un climat de travail stimulant l'esprit d'équipe et la collaboration. Tact et diplomatie. Solidarité par rapport aux décisions prises en équipe. Capacité à travailler avec des gens ayant des opinions et des manières de faire différentes.

Votre manière de communiquer

Vous avez souvent un bon conseil à donner dans les situations difficiles. Vous savez faire la part entre vos émotions et la réalité d'une situation donnée.

Mots clés

Empathique, généreux, serviable, idéaliste, patient, persuasif, sociable, plein de tact et chaleureux.

RÉFLEXION

Vos talents

Autonomie dans votre travail. Capacité à prendre en compte tous les paramètres d'une situation avant de prendre une décision. Esprit critique mais aussi constructif. Capacité à mettre en place des collaborations à l'intérieur et à l'extérieur d'un groupe. Gestion efficace des priorités. Capacité à planifier un projet complexe.

Votre manière de communiquer

Vous aimez votre indépendance et pouvez paraître intéressé dans vos relations avec les autres. Vous êtes néanmoins curieux et n'avez pas très grande confiance en vous.

Mots clés

Analytique, curieux, indépendant, intellectuel, plutôt pessimiste, rationnel, réservé, parfois radical.

ACTION

Vos talents

Faculté à exploiter tous vos atouts pour progresser. Bon niveau de confiance en vous et en vos projets. Prise de décision rapide. Grande énergie et bonne capacité de travail. Bon stratège. Ambition et persévérance. Capacité d'action même dans les situations conflictuelles. Goût des défis. Capacité à réagir d'instinct et au moment propice.

Votre manière de communiquer

Vous êtes volontiers manipulateur et charmeur pour amener les autres là où vous le souhaitez. Vous êtes peu intéressé par les discussions d'ordre intellectuel car vous préférez l'action.

Mots clés

Aventureux, ambitieux, dominateur, énergique, enthousiaste, extraverti, optimiste.

IMAGINATION

Vos talents

Capacité d'anticipation. Curiosité sans borne en toutes occasions. Intuition et flair pour transformer les informations recueillies. Enthousiasme face à une nouvelle activité. Conception et développement permanent d'idées. Prise de risques. Capacité à faire des entorses aux règles lorsque la situation le nécessite. Capacité d'action même dans l'incertitude.

Votre manière de communiquer

Vous entretenez des rapports affectifs et passionnels avec les autres et vous privilégiez le « savoir-être » sur le savoir-faire. Vous n'êtes pas à l'aise avec les personnes « froides ».

Mots clés

Désordonné, émotif, impulsif, expressif, indépendant et non-conformiste, original, idéaliste.

MÉTHODE

Vos talents

Sens du détail et du travail bien fait. Respect des règles établies. Honnêteté et loyauté. Autodiscipline. Efficacité dans votre travail. Partage de vos connaissances avec les autres. Bonne gestion de votre temps. Implication dans votre travail. Persévérance. Ordre et soin de votre matériel de travail. Capacité à planifier le travail d'une équipe et à en assurer le suivi.

Votre manière de communiquer

Vous détestez les situations conflictuelles. Vous êtes plutôt conformiste et respectueux de la hiérarchie. Vous avez parfois du mal à vous entendre avec les personnes brouillonnes.

Mots clés

Compétent, introverti, conformiste, calme, peu imaginatif, consciencieux, pratique, tenace et obstiné.

200 questions pour découvrir vos vrais talents, Gérard Roudaut, © Studyrama Éditions, 2003.

2 Voici quelques phrases prononcées par des personnes ayant l'un de ces profils. Associez paroles et profils.

a) « Il est très rare que je ne m'entende pas avec quelqu'un. C'est peut-être parce que je ne cherche jamais à juger, je préfère essayer de comprendre. Ça a toujours été comme ça. »

b) « Ma plus grande crainte, c'est de rester coincé dans un poste, de ne plus avoir de perspective d'évolution. Moi, j'ai envie d'aller très loin. Pour cela je travaille deux fois plus et je n'hésiterai pas, si nécessaire, à changer d'entreprise. »

c) « Le travail indépendant permet de laisser libre cours à son imagination, à son initiative. C'est vraiment mon rêve : avoir une liberté totale sur mon travail ; n'être jugé que sur les résultats. »

d) « Moi, ce que je n'aime pas dans le travail que je fais, c'est que nous avons un chef qui ne sait pas toujours ce qu'il veut. Un jour c'est comme ça, le lendemain c'est autrement. À la longue, c'est vraiment usant et ça ne permet pas toujours d'être efficace dans son travail. »

e) « Plus on connaît de choses, plus on connaît de façons de faire et plus on a envie d'en connaître d'autres. Ça empêche de tomber dans la routine. »

3 Quel est le profil qui manque ?

4 Lequel de ces profils convient le mieux à votre profession ? Et le moins bien ?

Écrire

Vous avez appris que l'entreprise SOGEGEL propose deux stages dans votre domaine professionnel. Écrivez une lettre pour faire une demande. Expliquez les raisons qui vous y poussent, l'importance que vous accordez à la réalisation d'un de ces stages et en quoi il contribuera à votre formation.

EXPRESSIONS POUR...

À l'attention de…
Objet : …

■ **Présentation**
Étudiant(e) en première année à…
Élève au Lycée Professionnel…
Je suis étudiante en deuxième année de…
Votre annonce a retenu toute mon attention…
Titulaire d'un diplôme d'études…
J'ai entendu dire que vous proposiez plusieurs…
Je veux devenir …
Je voudrais aborder…

■ **Justification**
Étant donné que… / Vu que…
Cette période de formation en entreprise doit me permettre de…
Je m'intéresse particulièrement à…
Mon expérience acquise en…
Comme l'indique mon CV ci-joint,…
J'ai également élaboré…
Grâce à mes diverses expériences en tant que…, je suis très à l'aise avec…
Je pense que mes compétences…
Possédant une attestation en… je dois effectuer un stage…
Ainsi, je recherche un stage…

■ **Demande**
Je souhaiterais réaliser / faire / effectuer un stage…
Je souhaiterais obtenir…
Pourriez-vous m'accueillir comme stagiaire… ?

■ **Prise de congé**
Dans l'attente d'une réponse favorable / de vous rencontrer pour vous donner de vive voix toutes les informations que vous souhaitez / d'un prochain contact…
J'espère avoir l'occasion de vous rencontrer prochainement…
Je reste à votre disposition pour tout renseignement complémentaire…

• L'expression de la comparaison

Lisez ce texte d'une publicité et repérez toutes les formes qui permettent d'établir des comparaisons.

Le nouvel Optio S PENTAX a de nombreux moins à vous offrir. Moins de poids. Moins de volume... mais beaucoup plus de technologies avancées et une élégance rare. Lorsqu'il n'est pas dédié à la photographie, il peut disparaître dans la paume de votre main. C'est le plus petit et le plus léger appareil numérique du monde doté d'un zoom optique 3x et d'une résolution de 3.2 millions de pixels. Un véritable bijou pour vos moments les plus précieux. © Pentax

▶ LE SUPERLATIF

Il sert à comparer un élément d'une catégorie à tous les autres éléments de la même catégorie.
C'est le plus petit et le plus léger appareil numérique du monde.

Superlatif de supériorité : *le / la / les plus... (de...)*
Superlatif d'infériorité : *le / la / les moins... (de...)*

Observez ces phrases.

Quel est le vin qui pourrait se marier le mieux avec un repas... ? La Bourgogne est un exemple à suivre parce que c'est là-bas qu'on fait les meilleurs vins.

> À quels mots *le mieux* et *les meilleurs* se rapportent-ils ? De quel adverbe ou adjectif sont-ils chacun le superlatif ?

Observez ce texte.

Les damnés de la conso

Plus les gens achètent, plus ils sont à la recherche de recettes pour être heureux. C'est le mal qui frappe « l'individu hyper-moderne », un homme désespéré de ne pas consommer tout en étant malheureux de trop accumuler. Des ouvriers aux cadres, personne n'est épargné.
    Michka Assayas © VSD du 9 au 15 octobre 2003

On peut établir des parallélismes à l'aide des expressions suivantes : *plus... plus..., moins... moins..., plus... moins..., moins... plus..., autant... autant....*

---

1 La publicité utilise souvent des superlatifs pour mettre en valeur les produits à vendre. Individuellement ou par petits groupes, trouvez des slogans pour les produits suivants :

a) un fromage français b) des oranges marocaines c) des chocolats suisses
d) une bière belge e) un autre produit de votre choix

• Le participe présent et le gérondif

▶ LE PARTICIPE PRÉSENT

Il existe une forme simple et une forme composée, qui expriment une antériorité par rapport à une action passée : *venant / étant venu, cuisinant / ayant cuisiné.*

Rappelez-vous !

– Le participe présent sert à remplacer une proposition relative introduite par le pronom *qui*. Il est alors complément du nom.
Il y a ici une très bonne odeur qui nous vient des fourneaux. → *Il y a ici une très bonne odeur nous venant des fourneaux.*

– Il sert aussi à exprimer la cause. La proposition subordonnée précède souvent la principale.
Sa grand-mère lui ayant transmis cette recette comme un secret de famille, elle ne la dévoile à personne. → *Vu que sa grand-mère lui a transmis cette recette comme un secret de famille...*

▶ LE GÉRONDIF

Observez :

Comment avez-vous appris à cuisiner : en aidant votre mère, en la regardant, en l'imitant ?

> À quel mot de la proposition principale se rapportent ces gérondifs ? Est-ce que le sujet de la principale est le même que celui de la subordonnée ?

Rappelez-vous !

Le gérondif sert à marquer des rapports circonstanciels : le temps, la manière, la cause, la condition.
On prend l'apéritif en discutant. (temps)
Ne parlez pas en mangeant. (manière)
Notre restaurant a obtenu le premier prix en proposant une carte originale. (cause, manière)
Tu améliorerais ta sauce en y ajoutant du basilique. (condition)

2 Mettez le verbe entre parenthèses à la forme du participe présent qui convient (simple ou composée).

1) L'appartement d'à côté (être) à vendre, nous voulons l'acheter pour agrandir le nôtre.
2) Cette encyclopédie (paraître) en 1926, elle ne peut rien dire sur la Seconde Guerre mondiale !
3) Je déteste les politiciens (dire) une chose un jour et son contraire le lendemain.
4) Le prix de l'avion (être) trop élevé, nous avons décidé de prendre le train.
5) Le nuages (devenir) de plus en plus gris, nous avons décidé de rentrer plus tôt que prévu.
6) La personne (s'occuper) de votre dossier étant absente, je vous prie de revenir demain.
7) (Avoir) peur d'attraper froid, Dominique a mis son manteau d'hiver.
8) Laure m'a présenté une dame (connaître) mon arrière-grand-mère !

3 Précisez la valeur du gérondif pour chacune des phrases suivantes.

1) Annick s'est cassé la jambe en faisant du ski dans les Alpes.
2) Tu m'as menti en me disant que tu étais divorcé.
3) Nous faisons pas mal d'économies en apportant notre casse-croûte au boulot.
4) En lui avouant la vérité, elle a pu se faire pardonner.
5) Elle a gaspillé toutes ses économies en jouant au poker.
6) J'ai réussi à maigrir en faisant très attention à ce que je mangeais.
7) En marchant une heure par jour vous vous sentirez mieux.
8) Préparez une farce, en ajoutant le jambon et les truffes coupées en dés.

4 Terminez les phrases suivantes en utilisant un gérondif.

1) Amandine voyage en avion pour pas cher…
2) Ils ont appris le décès de leur grand-père…
3) Tu peux profiter de toutes les installations sportives…
4) Nous pouvons dîner dans ce restaurant…
5) Elle a réussi à contrarier ses parents…
6) Julien est devenu un bon cuisinier…
7) On peut faire beaucoup de progrès en français…

● Le passif impersonnel

Observez cette phrase.
Comment se sert-il, ce petit vin ?

Quelle phrase (a, b) permet de dire la même chose ?
a) Comment doit-on servir ce petit vin ?
b) À quoi il sert, ce petit vin ?

Certains verbes pronominaux ont une valeur proche des constructions passives ; dans ce cas, le sujet est un nom de chose.
Je ne sais pas comment s'utilise cet appareil.

5 Repérez, dans les phrases suivantes, les verbes pronominaux à sens passif.

1) Le jambonneau est la partie de la jambe du porc située entre le jambon et le pied. Il se fait cuire comme le jambon mais une heure seulement.
2) Les propriétés nutritives des légumes se trouvent enfermées dans une matière cellulosique dont une partie est assimilable par l'homme, l'autre agissant mécaniquement sur l'intestin.
3) Le meilleur faisan se mange en octobre-novembre, alors qu'il est jeune, gras et tendre.
4) Trop souvent on s'imagine que le poisson coûte cher. Ce qui est une erreur.
5) L'oignon. On en fait grand usage en cuisine. Son goût âcre s'adoucit à la cuisson. Merveilleux condiment, il est aussi à la base d'excellents plats.

Convivialité et bonnes manières

1 Dans quelle mesure respectez-vous les règles de la bienséance ?
Répondez à ce questionnaire.

Déguster des mets raffinés sur une table dressée avec soin, c'est bien... mais accompagner cette dégustation de certains rites, c'est encore mieux !

1 – En entrant dans un lieu public, un restaurant par exemple, l'homme doit…
- ☐ **A** tenir la porte et s'effacer pour laisser passer la dame.
- ☐ **B** entrer le premier.

2 – Invité(e) à dîner à 20 heures, vous trouvez facilement à vous garer. Il est 20 h pile. Que faites-vous ?
- ☐ **A** Vous sonnez chez vos hôtes.
- ☐ **B** Vous attendez 20 h15, c'est le quart d'heure de politesse.

3 – Lorsque l'on trinque ou porte un toast, faut-il choquer les verres ?
- ☐ **A** Impossible, surtout s'ils sont en cristal.
- ☐ **B** Oui, mais délicatement.

4 – À quel moment doit-on déplier sa serviette ?
- ☐ **A** À l'arrivée du premier plat.
- ☐ **B** Dès que l'on s'assied à table.

5 – À table, comment placez-vous vos mains ?
- ☐ **A** De part et d'autre de l'assiette, les poignets appuyés sur le bord de la table.
- ☐ **B** Sur les genoux, entre deux plats.

6 – On vous sert une salade lourdement assaisonnée. Pour la manger sans risquer d'éclabousser…
- ☐ **A** Vous coupez les feuilles en morceaux plus petits.
- ☐ **B** Vous tentez un savant pliage avec un bout de pain.

7 – Quand vous avez fini votre repas, comment posez-vous vos couverts ?
- ☐ **A** Parallèles dans l'assiette.
- ☐ **B** Croisés dans l'assiette.

8 – Invité(e) chez des amis, vous décidez d'offrir des fleurs à votre hôtesse. Comment procédez-vous ?
- ☐ **A** Vous vous renseignez au préalable et vous arrivez avec ses fleurs préférées.
- ☐ **B** Vous envoyez un bouquet le jour de l'invitation.

2 Connaissez-vous l'origine de ces usages ?

La poignée de main

Ne pas tendre la main le premier :

à une femme
à une personne plus âgée
à un personnage important
à quelqu'un qui vous est présenté

 ATTENTION :
Ne pas serrer la main tendue du mendiant, mettre une pièce dedans.

le baiser

En principe, on n'embrasse que les gens qu'on aime. Il y a des exceptions, dans le show-biz, par exemple, et demandez donc à Jésus de vous parler de Judas...

N'embrassez que deux fois, un baiser sur chaque joue. Plus, c'est de la gourmandise.
N'embrassez pas tout le monde, gardez le baiser pour la bonne bouche.

Jean-Louis FOURNIER, *Je vais t'apprendre la politesse*
© 1988, Éditions Payot & Rivages

3 L'alimentation et la consommation des Français. Lisez les données suivantes. Lesquelles attirent le plus votre attention ? Ces chiffres seraient-ils les mêmes dans votre pays ?

Quelques données sur les repas en 2005

Lieux où les Français prennent leurs repas
- Déjeuner : *domicile : 72,2 % ; restaurant d'entreprise / scolaire : 10 % ; restaurant : 10 % ; au travail / dans la rue : 7,8 %.*
- Dîner : *domicile : 90,4 % ; restaurant : 8,1 % ; au travail / dans la rue : 1,1 %.*

Temps moyen consacré aux repas
- Ingestion : *déjeuner : 33 minutes en semaine / 45 minutes le week-end ; dîner : un peu plus d'une heure.*
- Préparation : *36 minutes en semaine / 44 minutes le week-end.*

Part de l'alimentation dans le budget des ménages
- En 2003 : *14 % (excepté les dépenses effectuées hors domicile) contre 19,3 % en 1990 et 26 % en 1970.*

4 Les nouvelles habitudes alimentaires des Français. Pensez-vous que ces données sont les mêmes dans votre pays ?

Le marché a toujours la cote
L'achat des surgelés s'impose pour seulement 22 % des Français, séduits par leur durée ou leur facilité d'utilisation. Par contre, 76 % d'entre eux déclarent privilégier les courses au marché, où l'on trouve des produits de meilleure qualité et un choix plus large.

L'évolution des comportements
La variable de l'âge s'avère capitale dans ce domaine : 77 % des moins de 35 ans avouent préférer préparer des plats eux-mêmes contre 46 % des plus de 35 ans et 33 % des plus de 65 ans. Les 18-35 ans semblent mieux apprécier les vertus de la cuisine.

Les Français savent aussi apprécier l'aspect festif du repas
42 % estiment inviter des amis plus souvent qu'auparavant contre 41 %. Pour les 18-24 ans, le pourcentage est de 72 %. 48 % des professions libérales et cadres supérieurs et 56 % des professions intermédiaires disent recevoir plus souvent des amis à dîner.
L'habitude des grands repas de famille se perd : 51 % des Français avouent en organiser moins souvent qu'auparavant. Mais 44 % des 18-24 ans estiment faire plus de grands repas en famille, ce qui confirme l'attachement prononcé de cette génération aux valeurs familiales.

Parler

EXPRESSIONS POUR...

■ **Faites correspondre ces extraits tirés des documents sonores de la leçon aux actes de parole donnés ci-dessous dans le désordre.**

a) *ou bien un vin de Loire ou bien un Sauvignon ou bien même un vin de Banyuls*

b) *Il faut bien dire que…*

c) *Pour que ça soit meilleur, que ça soit plus joli…*

d) *Ça pourrait être…*

e) *Il faut d'abord que ce soit des amis…*

f) *Un bon vin, ce serait…*

g) *Il vaut mieux / Je choisirais plutôt…*

h) *Mon conseil c'est de…*

i) *Je déteste que les gens…*

1) Donner plusieurs options.
2) Exprimer une opinion.
3) Donner des conseils.
4) Reconnaître la valeur d'une objection.

1 Monologue.

Présentez au reste de la classe la recette que vous réussissez le mieux. Expliquez comment la préparer sans oublier vos petits « trucs personnels ».

2 Exposé.

Par petits groupes, recherchez une publicité qui vous intéresse particulièrement et décrivez-la au reste du groupe. Expliquez pourquoi elle a attiré votre attention. Analysez-la à l'aide des pistes fournies page 100.

3 Conversation.

Par petits groupes, expliquez comment vous préparez votre soirée quand vous recevez des invités : le choix des invités, du menu, des vins, la décoration de la table…

Écrire

Vous organisez une soirée chez vous. Rédigez l'invitation par e-mail. Précisez la date et le lieu, dites ce que vous fêtez et demandez confirmation en donnant une date limite.

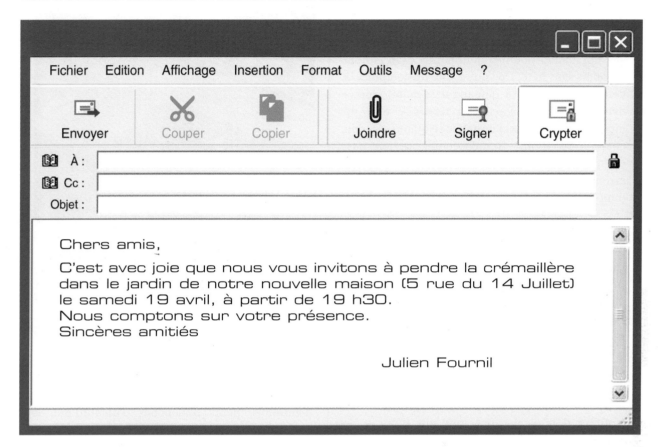

Fichier   Edition   Affichage   Insertion   Format   Outils   Message   ?

Envoyer   Couper   Copier   Joindre   Signer   Crypter

À :
Cc :
Objet :

Chers amis,

C'est avec joie que nous vous invitons à pendre la crémaillère dans le jardin de notre nouvelle maison (5 rue du 14 Juillet) le samedi 19 avril, à partir de 19 h30.
Nous comptons sur votre présence.
Sincères amitiés

Julien Fournil

BOÎTE À OUTILS

■ **Inviter**

Nous avons le plaisir de vous inviter à…
À l'occasion de… nous vous invitons à…
Nous souhaiterions inviter…
Vous êtes cordialement invité à…
Pour fêter la réussite de Karim à…
Nicolas serait très heureux d'accueillir Julien…
Votre petite Andréa est invitée à…

Ce… aura lieu le… à…

Réponse à donner avant le…
Prière de répondre avant le…
Veuillez confirmer votre présence avant le…

Dans l'attente de votre réponse recevez, Madame, mon meilleur souvenir…
Nous espérons vous compter parmi nous…
Nous comptons sur votre présence…
Sincères salutations / amitiés

■ **Répondre à une invitation**

M. et Mme… remercient vivement…
Votre invitation nous a particulièrement touchés…
Quelle bonne idée de réunir toute la famille…

■ **Accepter**

Nous vous confirmons notre présence…
C'est avec grand plaisir que j'accepte l'invitation….
Bien sûr, nous viendrons…

■ **Refuser**

…nous regrettons de ne pas pouvoir accepter…
…j'aurais voulu être présent(e) à… mais malheureusement j'ai déjà…
…tu sais combien je suis déçu(e) de ne pouvoir vous rencontrer…
…nous penserons à vous ce jour-là…

Lire

Des gâteaux séparés, bien sûr. Une religieuse au café, un paris-brest, deux tartes aux fraises, un mille-feuille. À part pour un ou deux, on sait déjà à qui chacun est destiné – mais quel sera celui-en-supplément-pour-les-gourmands ? On égrène les noms sans hâte. De l'autre côté du comptoir, la vendeuse, la pince à gâteaux à la main, plonge avec soumission vers vos désirs ; elle ne manifeste même pas d'impatience quand elle doit changer de carton – le mille-feuille ne tient pas. C'est important, ce carton plat, carré, aux bords arrondis, relevés. Il va constituer le socle solide d'un édifice fragile, au destin menacé.

–Ce sera tout !

Alors la vendeuse engloutit le carton plat dans une pyramide de papier rose, bientôt nouée d'un ruban brun. Pendant l'échange de monnaie, on tient le paquet par en dessous, mais dès la porte du magasin franchie, on le saisit par la ficelle, et on l'écarte un peu du corps. C'est ainsi. Les gâteaux du dimanche sont à porter comme on tient un pendule. Sourcier des rites minuscules, on avance sans arrogance, ni fausse modestie. Cette espèce de componction, de sérieux de roi mage, n'est-ce pas ridicule ? Mais non. Si les trottoirs dominicaux ont goût de flânerie, la pyramide suspendue y est pour quelque chose – autant que çà et là quelques poireaux dépassant d'un cabas.

Paquet de gâteaux à la main, on a la silhouette du professeur Tournesol* – celle qu'il faut pour saluer l'effervescence d'après messe et les

bouffées de P.M.U.**, de café, de tabac. Petits dimanches de famille, petits dimanches d'autrefois, petits dimanches d'aujourd'hui, le temps balance en ostensoir au bout d'une ficelle brune. Un peu de crème pâtissière a fait juste une tache en haut de la religieuse au café.

Philippe Delerm, *La première gorgée de bière et autres plaisirs minuscules*, L'Arpenteur, Éditions Gallimard, 1997

*Professeur Tournesol : héros de la bande dessinée *Tintin*.
**P.M.U. : Pari Mutuel Urbain (pari sur les courses de chevaux)

1 Lisez ce texte.

a) À quel rite dominical se réfère-t-il ?
b) Décrivez la scène (à l'intérieur de la boutique puis dans la rue).
c) Trouvez-lui un titre.

3 Commentez.

a) Cette habitude des Français existe-t-elle dans votre pays ?
b) Selon vous, cette tradition fait-elle partie des « plaisirs minuscules » ?

2 Associez mots et sens.

1) égrener   a) Objet destiné à exposer l'hostie chez les chrétiens.
2) socle   b) Faire entendre un à un.
3) engloutir   c) Base ou support.
4) ostensoir   d) Faire disparaître brusquement en submergeant.

4 Premier paragraphe.

1) Combien de noms de gâteaux y trouvez-vous ?
2) Quel est le comportement du client ?
3) Quelle est l'attitude de la vendeuse ?

5 Deuxième et troisième paragraphes.

1) L'auteur emploie trois images pour désigner le paquet. Lesquelles ?
2) Le client est aussi comparé à trois personnes. Lesquelles ?

6 Interprétez.

1) Quelles habitudes des Français les extraits suivants révèlent-ils ?
   a) « Des gâteaux séparés, bien sûr. »
   b) « …çà et là quelques poireaux dépassant d'un cabas. »
   c) « …les bouffées de P.M.U., de café, de tabac. »

2) À votre avis, quelle vision le narrateur a-t-il du dimanche ?

Réfléchissons. Lesquelles de ces stratégies vous ont été utiles pour aborder les activités de compréhension du texte ?

- Parcourir le texte globalement pour saisir le sens général.
- Lire le texte attentivement pour identifier la situation, suivre l'histoire et se faire une idée assez précise de ce qui est raconté.
- Essayer de déduire le sens des mots à partir de la situation, du contexte, des mots proches, de la fonction grammaticale du mot, de la racine du mot, des préfixes, des suffixes…
- Comprendre le rapport entre des mots de sens inconnu et une catégorie plus large (exemple : *religieuse au café* ou *paris-brest* → gâteaux).
- Dégager l'atmosphère générale du texte.
- Chercher des compléments d'information sur des référents culturels.
- Formuler des hypothèses pour pouvoir comprendre des éléments culturels.

---

7 Avez-vous des habitudes consacrées pour les repas, les invitations, certaines activités de la journée… ? Commentez-les avec votre voisin(e).

Écrire

À la manière de Philippe Delerm, écrivez à votre tour un texte court présentant l'un de vos rites préférés. Trouvez des images ou des associations pour mieux faire passer vos impressions, sensations, émotions et sentiments.

1 Choisissez l'option qui convient (a, b, c) pour compléter le texte suivant.

De la prune au pruneau

À la fin de l'été, lorsque les prunes sont mûres, elles tombent naturellement. C'est le moment de la récolte ! Leur peau se pare d'un beau violet velouté et leur chair jaune est tendre, … (1) et sucrée. La qualité des pruneaux est étroitement liée au taux de sucre contenu dans les prunes d'Ente au moment de la récolte. Seuls les fruits … (2) une pleine maturité sont récoltés et on les cueille … (3) légèrement les pruniers comme la tradition l'exige. Aussi faut-il en moyenne trois à quatre passages sur chaque parcelle pour récolter l'intégralité des fruits. Les prunes sont ensuite lavées, triées, calibrées et installées sur des claies de séchage. Après une vingtaine d'heures passées dans les … (4) à 70° degrés, les prunes sont devenues pruneaux.

Idées de petits-déjeuners *version pruneau* :
• Fromage blanc, miel et petits … (5) de pruneaux
• Muësli aux pruneaux, noix, amandes et … (6)

1)	a) amère	b) fade	c) juteuse
2)	a) atteignent	b) en ayant atteint	c) ayant atteint
3)	a) en secouant	b) secouant	c) étant secoués
4)	a) fours	b) cuisinière	c) micro-ondes
5)	a) rondelles	b) dés	c) tranches
6)	a) thym	b) persil	c) noisettes

2 Complétez le texte suivant à l'aide des mots ou expressions qui vous sont donnés dans le désordre.

le plus / car / chômage / conséquences / diplôme / en effet /
formations / l'entretien d'embauche / objectif / poste / pour / pour qu' / recruteur / stage

Gonfler son CV, c'est prendre des risques

Enjoliver son curriculum vitae est une pratique courante qui, dans certains cas, peut être lourde de conséquences. Explications :

Le seul … (1) d'un curriculum vitae, c'est d'obtenir un entretien. … (2) il soit … (3) efficace possible, il doit être clair, concis et précis, autant dans la forme que dans le fond.

Vous devez organiser votre CV autour de quatre thèmes (parcours professionnel, … (4) initiale et continue, informatique et langues, centres d'intérêt) et le présenter de telle sorte qu'il colle aux attentes de l'entreprise ou laisse apparaître une offre de services.

Les fraudes sans gravité

Il faut notamment mettre en avant votre projet professionnel, citer des éléments concrets d'expérience, et ne pas hésiter à chiffrer ce qui peut l'être afin de donner au … (5) des points de comparaison et de discussion.

Bref, il s'agit de vous présenter positivement sans bluffer. … (6), si certaines « fraudes » sont sans gravité, d'autres peuvent être lourdes de … (7). Personne ne vous reprochera de ne pas avoir fait apparaître votre situation de famille, d'avoir minimisé une expérience professionnelle ou de ne pas mentionner une période de … (8). Mais gare aux « transformations » qui peuvent vous décrédibiliser totalement si l'employeur s'aperçoit de la supercherie au cours de … (9).

Celles assimilées à une faute grave

Transformer un … (10) de deux mois en contrat à durée déterminée de cinq mois, gonfler son expérience (par un titre de responsable bien plus valorisant que « chargé de… » par exemple), revendiquer un poste dans une entreprise qui n'a jamais existé, ou se valoriser au travers d'activités extra-professionnelles fictives peuvent vous coûter le … (11).

Enfin, il faut éviter de se prévaloir d'une expérience professionnelle ou d'un … (12) que l'on ne possède pas, surtout s'ils sont exigés dans l'annonce. Car, engagé sur la base de ces fausses affirmations, vous vous exposeriez à un licenciement … (13) faute grave.

Un conseil : gardez la mesure … (14) à trop vouloir en faire, vous risquez de ne pas décrocher le poste convoité… ou de le perdre après quelques mois d'activité.

Évelyne d'Aleyrac, © *Femme Actuelle* n° 864

5 Les pieds sur terre

OBJECTIFS

▶ Exposer, expliquer, commenter et justifier ses idées et ses opinions (domaines technique, scientifique et légal).

▶ Comprendre et intervenir dans des débats portant sur ces domaines.

▶ Comprendre des interviews techniques et scientifiques (langue de spécialité).

▶ Comprendre des textes journalistiques prescriptifs et informatifs.

▶ Comprendre un extrait de nouvelle littéraire.

▶ Écrire de façon créative.

▶ Observer dans un discours spontané la manière de parler et le registre de langue utilisé par le locuteur.

▶ Réfléchir aux techniques de développement d'un texte.

Le réchauffement de la planète

1 Que pensez-vous du titre de journal ci-dessous ? Selon vous, est-il neutre ou provocateur ?

BONNE NOUVELLE
Le réchauffement : la solution pour votre budget chauffage !

2 Lisez l'article suivant.

2005. LE DÉBAT RESTE OUVERT

UN ÉCOSCEPTIQUE

Thorolf Hagebö, professeur invité de l'université de Georgetown.

Écolos : Dans le réchauffement actuel, quelle part attribue-t-on à l'homme et quelle part au soleil ?

Thorolf Hagebö : Cette question fait l'objet d'une controverse. Pour certains scientifiques, le réchauffement serait dû aux deux tiers à l'activité solaire et la part de l'homme serait d'un tiers. Des variations de l'activité solaire sont vraisemblablement à l'origine de la hausse des températures entre 1900 et 1950 alors que cette hausse est sans doute attribuable à l'homme de 1950 à 2000.

É. : Dans un futur proche, faut-il s'attendre à des hivers sibériens ?

T.H. : Beaucoup prédisent que l'Europe va se réchauffer. Bien que le Gulf Stream* soit moins fort et qu'on prévoie moins de chaleur, il ne va pas faire plus froid. En conséquence la réponse est non !

É. : Quel peut-être l'impact du protocole de Kyoto sur l'économie mondiale ?

T.H. : La lutte contre le réchauffement coûte de l'argent. Nous allons devoir passer de sources d'énergie bon marché à des sources plus chères. Selon le GIEC (Groupe d'experts intergouvernemental sur l'évolution du climat), le coût sera de quelques pour cent du produit mondial brut. Étant donné que le monde s'enrichit de 1 à 2 % par an, il faut compter que la croissance prendra un an de retard approximativement. Ce qui n'est pas très grave pour l'économie. Néanmoins, les dépenses pour réduire de 30 % les émissions de CO_2 d'ici à 2010, comme l'ont accepté les pays industrialisés, seront de 125 à 300 milliards d'euros. Et pour seulement six ans d'écart (2106 au lieu de 2100) sur la hausse prévue des températures ! Pour ce prix, on pourrait, d'ici là, assurer les besoins en eau potable de tous les êtres humains. Où se situe la priorité ?

Le Gulf Stream est un courant chaud de l'Atlantique. Il adoucit considérablement les climats de l'Europe du Nord-Ouest.

UN CLIMATOLOGUE

Étienne Morel, chargé de recherche en climatologie pour l'Institut polaire, membre du GIEC.

Écolos : Dans le réchauffement actuel, quelle part attribue-t-on à l'homme et quelle part au soleil ?

Étienne Morel : L'activité solaire a certainement joué un rôle dans les changements climatiques du dernier millénaire, je pense, par exemple, au petit âge glaciaire que l'Europe a enduré avant la Révolution. Mais ces variations demeurent très faibles. Par contre, le réchauffement du XXe siècle, assez net sur les 50 dernières années, est en rapport direct avec l'augmentation de l'effet de serre, elle-même conséquence des activités humaines sur la composition de l'atmosphère en gaz carbonique, méthane, oxydes d'azote et autres composés. La conclusion que tire le GIEC dans son 3e rapport c'est que « la majeure partie du réchauffement observé au cours de ces 50 dernières années est due aux activités humaines ».

É. : Dans un futur proche, faut-il s'attendre à des hivers sibériens ?

É. M. : Pour la France, la réponse est négative. Une modification du Gulf Stream n'est pas prévue au XXIe siècle, au-delà sans doute. Et si cela se produisait, cela provoquerait un réchauffement moindre plutôt que des hivers sibériens. Un tel phénomène peut toutefois donner lieu à quelques surprises climatiques.

É. : Quel peut être l'impact du protocole de Kyoto sur l'économie mondiale ?

É. M. : Il peut avoir un effet positif. C'est si l'on n'agit pas contre le réchauffement que l'on en subira les conséquences, conséquences irréversibles pour l'écologie (comme par exemple la disparition d'une partie notable des massifs coralliens) et également désastreuses pour l'économie. Il ne faut surtout pas oublier que la lutte à l'échelle planétaire peut entraîner des développements technologiques qui se traduiront par des développements économiques.

Écolos, mai 2005

3 Répondez aux questions suivantes.

1) Qui sont les personnes interviewées ? Pourquoi, à votre avis, ont-elles été choisies ?
2) Quels sont les sujets abordés par le journaliste ?
3) Sur quel(s) point(s) ces personnes sont-elles d'accord ?
   Sur lequel / lesquels sont-elles en désaccord ?
4) En résumé, sur quel terrain s'entendent-elles ? Dans quel domaine divergent-elles ?

4 Repérez le vocabulaire appartenant au champ lexical du changement climatique. Faites votre propre boîte à mots.

5 Votre avis.

1) Avec lesquelles des idées exposées êtes-vous d'accord ou en désaccord ? Pourquoi ?
2) Que répondriez-vous à la question posée par Thorolf Hagebö à la fin de son interview ?
3) L'avenir climatique de la planète vous préoccupe-t-il ? Pourquoi ?

Situation > **Profession : mathématicien**

1 Écoutez l'enregistrement, puis notez les informations essentielles.

2 Lisez le résumé suivant, puis comparez-le aux notes que vous avez prises.

En ce qui concerne le travail des mathématiciens, on ne peut pas parler de journée modèle. Ils organisent des réunions hebdomadaires auxquelles participent les membres de l'équipe de recherche qui ont pour but de débattre ensemble des sujets appartenant au domaine de spécialité de chacun. Les projets de recherche peuvent naître de questions abordées dans ces séminaires : on détermine un problème et on essaye d'aboutir à un résultat qui peut être trouvé à n'importe quel moment. Mais il faut reconnaître qu'une bibliothèque fournie est l'outil le plus important du chercheur. Finalement, le mathématicien considère que le travail scientifique dans son domaine se rapproche assez de l'activité artistique. C'est peut-être pour cette raison que les mathématiciens parlent habituellement de l'élégance d'une démonstration et de la beauté d'une preuve.

3 Maintenant, lisez les phrases ou bouts de phrases suivants. Pourriez-vous les utiliser pour compléter le résumé ?

a) On consulte la bibliographie.
b) Au cours d'une balade ou en regardant un film, par exemple.
c) Car la philosophie et l'art se trouvent en rapport étroit.
d) Et éventuellement des invités étrangers…
e) Les séminaires sont tout de même assez fréquents.
f) Les professeurs de l'université dans laquelle on travaille…
g) pas forcément très précis…
h) Puisqu'il existe une part d'inspiration et un besoin esthétique…
i) qui durent normalement trois heures.
j) qui ait une application immédiate.

4 Réécoutez une dernière fois l'enregistrement, puis complétez le résumé à l'aide de six des propositions ci-dessus, que vous placerez à l'endroit qui convient.

L'expression de la condition et de l'hypothèse

› LA CONDITION

Observez ces phrases.

Si nous ne luttons pas contre le réchauffement, les conséquences risquent d'être économiquement désastreuses, avec des phénomènes écologiques irréversibles.

Dans cette phrase, on met en relation deux faits ou deux actions réalisables : *ne pas lutter contre le réchauffement* et *provoquer des conséquences désastreuses.*

> Quelle est la condition ? Quelle est la conséquence que l'on prévoit ou que l'on attend ? Quel mot permet d'introduire la condition ? À quel temps est le verbe de la subordonnée ? Et celui de la proposition principale ?

Reformulez cette phrase en utilisant d'autres temps verbaux, puis cherchez dans la leçon d'autres énoncés exprimant la condition.

› L'HYPOTHÈSE

Parfois, dans la proposition subordonnée, on ne fait pas allusion à des faits qui, selon le locuteur, sont la condition nécessaire pour que se produise ce qui est dit dans la principale : on imagine des situations dont on ne pense pas qu'elles vont forcément se produire. Dans ce cas, on parle d'*hypothèse*. Observez :

Mon groupe de recherche pourrait continuer ses travaux si le ministère nous renouvelait la subvention.
→ À présent, mon groupe de recherche ne peut pas continuer ses travaux car le ministère n'a pas (encore) renouvelé la subvention.

> Quel mot permet d'introduire l'hypothèse ? À quel temps est le verbe de la subordonnée ? Et celui de la proposition principale ?

La structure *si* + **imparfait / conditionnel présent** sert à exprimer l'éventualité, le souhait. On parle dans ce cas d'*hypothèse improbable,* parfois d'*irréel du présent* (pour l'instant la subvention n'est pas renouvelée et le groupe ne peut pas continuer ses travaux).

> Comparez la phrase précédente aux reformulations ci-dessous : quelles expressions remplacent la structure introduite par *si...* ? Quels changements remarquez-vous dans certaines de ces phrases ?

Mon groupe de recherche pourra continuer ses travaux à condition que le ministère nous renouvelle la subvention.

Mon groupe de recherche ne pourra plus continuer ses travaux à moins que le ministère (ne) nous renouvelle la subvention.

Mon groupe de recherche ne pourra plus continuer ses travaux sans les subventions du ministère.

Observez les phrases suivantes.

Si nous avions eu la possibilité de tester notre hypothèse, notre contribution aux résultats de l'équipe aurait été décisive. → Nous n'avons pas eu la possibilité de tester notre hypothèse et, par conséquent, notre contribution aux résultats de l'équipe n'a pas été décisive.

Si les hommes n'avaient pas autant pollué pendant les 50 dernières années, la Terre ne serait pas en danger. → Les hommes ont beaucoup pollué pendant les 50 dernières années, par conséquent, la Terre est en danger.

La structure *si* + **plus-que-parfait / conditionnel passé** sert à exprimer des regrets, à faire des reproches. On parle dans ce cas d'*hypothèse irréelle,* ou d'*irréel du passé* (ce que l'on imagine dans la subordonnée ne s'est pas produit).

STRUCTURES POUR EXPRIMER LA CONDITION ET L'HYPOTHÈSE

1) Subordonnées introduites par la conjonction *si*

subordonnée introduite par *si*	proposition principale
verbe au présent / passé composé	verbe à l'indicatif présent / futur ou à l'impératif
verbe à l'imparfait	verbe au conditionnel (présent)
verbe au plus-que-parfait	verbe au conditionnel (présent ou passé)

2) Subordonnées introduites par d'autres conjonctions

– *au cas où* + verbe au conditionnel : *Je vais téléphoner à Éva au cas où elle aurait oublié notre rendez-vous.*

– *à condition que* + verbe au subjonctif : *Je veux bien que les enfants viennent à condition qu'ils soient sages.*

– *à moins que (ne)* + verbe au subjonctif : *Amélie viendra le week-end prochain, à moins qu'elle (n') ait trop de travail.* Attention ! Ce *ne* optionnel n'a pas ici de sens négatif.

3) Autres moyens

– **préposition + nom** : avec / sans / en cas de… : *Cette pièce serait plus accueillante sans ce gros meuble.*

– **préposition + infinitif** : à condition de / sans / à moins de… : *Nous arriverons pour le déjeuner à condition de partir tôt le matin.*

– **gérondif** : *En faisant un peu plus attention, tu ferais moins de gaffes.*

– **la conjonction *sinon*** : *Tais-toi, sinon tout le monde sera au courant de notre surprise !*

1 Vive la science ! Un agitateur pour modifier le goût de sa boisson ! Écoutez les réactions de ces personnes et repérez les expressions servant à introduire la condition ou l'hypothèse.

2 Qu'expriment les subordonnées suivantes : la condition, le souhait ou le regret ?

1) Si leur chef de labo n'avait pas démissionné, ils auraient pu terminer leur thèse.
2) Si les hommes étaient plus conscients de leur influence sur l'environnement, l'avenir serait moins noir.
3) Si on me propose un poste de chercheur à l'Institut Pasteur, je n'hésite pas.
4) Si le programme politique des Verts était plus réaliste, plus de gens voteraient pour eux.
5) Si tu veux devenir chercheur tu dois commencer par faire un DEA.
6) Si le Dr Marovic te proposait d'intégrer son équipe, tu accepterais ?

3 Complétez les phrases suivantes avec des formes exprimant la condition ou l'hypothèse.

1) … un peu plus d'enthousiasme, ton discours serait plus intéressant.
2) Je suis d'accord pour rester, … tu me prêtes ta voiture pour le week-end.
3) Claire n'aurait pas eu son concours … mon aide.
4) Je suis allée faire des courses pour toi … tu ne serais pas complètement rétablie.
5) Prenez ces cachets et appelez-moi … urgence.
6) Nous pourrons voyager cet été mais à … faire pas mal d'économies.
7) … nous avions bien lu le mode d'emploi, nous n'aurions pas cassé la cafetière.
8) Nous sommes débordés, … nous sortirions dîner avec vous.

4 Mettez le verbe entre parenthèses aux temps et mode qui conviennent pour marquer soit la condition soit l'hypothèse.

1) Si tu … (prendre) les transports en commun pour te rendre au travail, tu … (faire) de sérieuses économies.
2) Si vous … (demander) votre visa à l'avance, vous l'… (avoir) à temps.
3) Le professeur veut bien reporter l'examen à condition que nous … (apporter) un mot d'excuse.
4) Si sa mère … (accepter) de garder les enfants, nous … (pouvoir) partir avec nos amis le week-end prochain.
5) Je te laisse les clés sous le paillasson au cas où tu … (rentrer) avant moi.
6) Vous ne pouvez pas vous inscrire en DEA à moins que vous … (avoir) déjà une maîtrise.
7) En réservant ton vol dès maintenant, tu … (être) sûr d'avoir une place.
8) Nous vous laissons le numéro de téléphone du restaurant au cas où vous … (avoir) un problème avec les enfants.

Le Coin des Sciences

Les sciences humaines

- **D'où vient l'humanité ?**
- **Comment reconstituer des faits historiques à partir de traces matérielles ?**
- **Quels moyens modernes la science utilise-t-elle ?**
- **Que peut révéler l'analyse des restes de corps ?**
- **Quel rôle ont joué les facteurs climatiques et géographiques dans l'évolution de l'être humain… ?**
- **En bref, où en est-on ?**
- **Pour en savoir plus, ne manquez pas notre numéro spécial.**

1 Ces sujets de vulgarisation scientifique vous intéressent-ils ? Aimeriez-vous lire ce numéro spécial ? Et vous-même, que savez-vous dans ces domaines ?

2 Pouvez-vous apporter des réponses à ces questions ?

La médecine au présnt...

20 ans après la découverte du virus du sida, où en est la recherche ?
Le traitement le plus efficace est un mélange de trois médicaments : c'est la trithérapie. Elle donne de meilleurs résultats que les traitements basés sur un seul produit.

On développe une approche individualisée, des patients, qui sont également suivis sur les plans psychologique et social.
Enfin, les chercheurs seraient sur une nouvelle piste, celle d'un vaccin non pas préventif mais curatif.

et la médecine du futur.

Après le rayon laser qui a révolutionné les pratiques opératoires de la deuxième moitié du XXe siècle, la nouvelle grande avancée du XXIe siècle est la téléchirurgie, la chirurgie médicale à distance. L'intervention est pratiquée par un robot piloté par un chirurgien grâce à un écran 3D.
C'est une ère nouvelle qui s'ouvre dans ce domaine...

3 Avez-vous d'autres informations sur le sida : sur l'état des recherches et l'évolution des traitements ? Pouvez-vous comparer la situation par rapport à d'autres maladies ?

4 Que pensez-vous de la téléchirurgie ? Quels avantages peut offrir ce style d'opération ?

l'espace

La boîte à mots de l'espace

la galaxie • observer • l'observation • une navette une fusée • un satellite • une exploration explorer • détecter • la planète • le système solaire alunir • la sonde • l'atmosphère • une mission planétaire • spatial • martien • lunaire

5 Quels mots de la boîte ci-contre allez-vous utiliser pour compléter cette information ?

Mars révèle ses premiers secrets
Année 2004 : … Mars Express en orbite autour de … rouge poursuit sa … avec succès. Grâce à sa caméra haute résolution, elle renvoie des clichés fabuleux de la surface de Mars. D'autre part, elle a … du méthane dans l'… de la planète rouge, ce que l'Agence … Européenne a annoncé officiellement fin mars.
Ce gaz instable èt à durée de vie très courte pourrait être d'origine volcanique ou biologique ; il n'est pas exclu que le méthane repéré soit produit par des bactéries … mais il est cependant trop tôt pour tirer des conclusions de cette… .

6 Quels aspects de la conquête de l'espace vous intéressent ?

Internet

7 Saviez-vous que le mulot, petit animal rongeur, désigne aussi la souris que vous utilisez avec l'ordinateur ? Retrouvez dans l'illustration ci-contre les cinq mots qui correspondent aux définitions suivantes :

1) Équivalent francophone de *e-mail,* surtout utilisé au Québec et en Belgique.
2) Ensemble de règles de comportement à observer sur l'Internet, sur l'Usenet ou dans un groupe de discussion particulier.
3) Rubrique présentant par sujets les questions les plus fréquemment posées par les utilisateurs, accompagnées des réponses correspondantes.
4) Réseau de télécommunication et de téléinformation destiné à l'usage exclusif d'un organisme et utilisant les mêmes protocoles techniques que l'Internet.
5) Site thématique ou non, référençant d'autres sites grâce au système des liens.

8 Quels autres mots vous sont familiers ? Essayez d'en donner une définition.
Vous-même, quel(s) usage(s) faites-vous de l'Internet ? Quels mots peuvent vous servir à l'expliquer ? Quels autres mots associez-vous à la Toile ?

© Libération, 16/12/2003

La méthode expérimentale

En quoi consiste la « méthode expérimentale » ou scientifique définie par Claude Bernard en 1866 ?

En différentes étapes

on va poser un problème

↓

on formule une hypothèse

↓

on réalise une expérience pour pouvoir accepter cette hypothèse ou la rejeter

↓

on analyse les résultats et on les interprète

↓

on peut alors confirmer cette hypothèse ou la réfuter.

9 Suivez la méthode expérimentale et remettez ces cinq étapes dans l'ordre.

a) On pourrait mettre au point en labo des tissus avec des propriétés antibactériennes.
b) Il s'agit de greffer sur les tissus des bactéricides avec capacités anti-odorantes.
c) Cela représente une grande innovation pour certains secteurs spécifiques (sport).
d) Avec les premiers tests, on établit qu'il n'y a pas de risques d'allergies.
e) Pourquoi ne pas créer des vêtements *intelligents* ?

La recherche dans tous ses états

Claude Bernard (1813-1878), père de la « méthode expérimentale » qu'il a définie comme une activité de construction du savoir dans le domaine scientifique. Il a appliqué sa méthode de recherche à la physiologie et on lui doit d'importantes découvertes sur les fonctions du pancréas, du foie et du système nerveux sympathique. C'est le premier scientifique à qui la France a rendu hommage.

Le mathématicien **Jean-Pierre Serre** a reçu le premier **Prix Abel**, créé en 2003 pour combler l'absence d'un Prix Nobel en mathématiques. L'institution norvégienne a souligné à cette occasion que Jean-Pierre Serre « avait largement contribué au progrès des mathématiques durant plus d'un demi-siècle et qu'il continue dans cette voie. »

Pierre Bourdieu (1930-2002), sociologue. Ses recherches et analyses ont couvert tous les domaines de la société. Parmi ses ouvrages les plus importants figurent *La domination masculine, Les enjeux du foot-ball, Questions de sociologie, Sur la télévision.* Il reste une figure dominante et contestée de la sociologie de la fin du XXe siècle.

Le CNRS (Centre national de la recherche scientifique). Organisme public national de recherche et de technologie fondé en 1939. Il dépend du ministère de la Recherche et compte huit départements qui couvrent l'ensemble des domaines de la science : sciences physiques et mathématiques, physique nucléaire et corpusculaire, sciences et technologie de l'information et de la communication, sciences pour l'ingénieur, sciences de l'univers, sciences chimiques, sciences de la vie, sciences de l'homme et de la société.

Chercheur découvrant le budget de son labo.

Le malaise des chercheurs

Fin 2003, création du collectif « Sauvons la recherche ». Le milieu de la recherche se mobilise contre le manque de moyens et la précarisation des métiers dans la recherche publique. La pétition des chercheurs qui circule sur Internet récolte plus de 74 000 signatures. Ils appellent à de nombreuses manifestations et actions diverses dans toute la France. Les chercheurs n'avaient jamais autant mobilisé l'opinion publique et les médias.

En quelques titres et sur quelques mois

- « *Les chercheurs piquent leur crise* » (L'Humanité - 15 octobre 2003)
- « *Crédits en baisse, chercheurs en détresse* » (Libération - 10 janvier 2004)
- « *La recherche ? Ça nous concerne !!!* » (Fondation Recherche Médicale - 9 mars 2004)
- « *Pasteur bientôt SDF* » (Charlie Hebdo n° 612 - 10 mars 2004)
- « *Chercheurs : démission en masse* » (La Voix du Nord - 10 mars)
- « *Recherche : les raisons de la colère* » (site Internet)
- « *Fuite des cerveaux : ce n'est pas de la science-fiction* » (Nice-Matin - 18 mars 2004)

1 Avez-vous déjà entendu parler de ces trois scientifiques ou du CNRS ? Si oui, à quelle occasion ?

2 Connaissez-vous d'autres scientifiques originaires de pays francophones ?

3 Croyez-vous que la recherche soit en danger ?

4 Quels titres de presse proposeriez-vous pour refléter la situation actuelle de la recherche dans votre pays ?

Écouter

1 Écoutez l'enregistrement, puis choisissez l'option correcte.

1) La personne interviewée exerce le métier de…
   a) journaliste spécialisé dans la divulgation scientifique.
   b) scientifique travaillant pour une entreprise pharmaceutique.
   c) inspecteur du ministère de la Santé.

2) En ce qui concerne le sida, les laboratoires ont élaboré des produits…
   a) tout à fait valables mais très chers.
   b) qui n'ont aucun effet sur la maladie.
   c) qui, combinés, produisent des effets positifs.

3) Les cocktails de médicaments contre le sida agissent positivement sur…
   a) les patients qui viennent de contracter la maladie.
   b) une partie des patients.
   c) tous les patients sans exception.

4) Le sida et certains cancers sont des maladies…
   a) que l'on pourra très vite freiner.
   b) que l'on connaît encore mal.
   c) auxquelles la recherche accorde peu d'importance.

5) Concernant la maladie de Parkinson, les médicaments de pointe…
   a) s'attaquent très directement aux causes de la maladie.
   b) évitent le processus dégénératif lié à la maladie.
   c) ont une action positive sur les symptômes liés à la maladie.

6) Les effets secondaires des médicaments sont…
   a) toujours détectés par les firmes pharmaceutiques.
   b) relevés mais pas centralisés dans une banque de données.
   c) répertoriés dans la banque de données du ministère de la Santé.

7) Le spécialiste de pharmaco-vigilance d'un laboratoire…
   a) n'a pas un poste essentiel.
   b) a un poste très important à lourdes responsabilités.
   c) a des horaires de bureau.

8) L'hormone de croissance biosynthétique…
   a) ne présente aucun risque de contamination.
   b) est moins dangereuse que l'hormone extractive.
   c) est moins dangereuse que l'hormone extractive mais totalement inefficace.

2 La personne interviewée correspond-elle à l'idée que vous vous faites d'un scientifique ? Pourquoi ?

Parler

1 Par petits groupes, expliquez quelle serait la nouvelle scientifique que vous aimeriez lire dans la presse ou entendre à la radio ou à la télévision. Présentez-la au groupe-classe en justifiant votre choix.

2 Lequel de ces articles vous intéresse le plus et lequel vous intéresse le moins ? Quel produit seriez-vous prêt(e) à acheter ?

Stimulateur électrique pour lutter contre la dépression

L'Université d'Erlangen a mis au point un stimulateur du nerf vague, un nerf qui diminue les manifestations physiques de la dépression. Mesurant 1 cm x 5 cm, cet appareil délivre des impulsions électriques qui ont déjà donné des résultats très positifs lorsque les méthodes conventionnelles ont échoué.

Une vitamine qui rend intelligent

La vitamine K est nécessaire pour développer les mécanismes cognitifs à tel point qu'un individu n'en consommant pas en quantité suffisante pourrait développer des problèmes de cognition. Cette vitamine, absorbée par l'intestin grêle et stockée dans le foie, a l'avantage d'être l'une des seules que notre organisme synthétise. Les principales sources végétales de vitamine K sont les légumes verts (épinards, navet, chou).

Un agitateur pour modifier le goût de sa boisson

Une électrode baptisée « Ricomaster » est commercialisée (42 €) pour rendre, entre autres, le whisky moins fort et le café moins amer. Les ingrédients de la boisson ne sont pas altérés et l'action de l'appareil est sans danger pour la santé.

EXPRESSIONS POUR...

■ **Réfléchissez aux expressions que vous connaissez pour…**

- présenter votre point de vue.
- montrer votre accord partiel.
- manifester votre opposition totale.
- préciser ou nuancer des idées.

- mettre en valeur des idées, des arguments.
- introduire d'autres idées ou arguments.
- présenter les causes et les conséquences des faits évoqués.
- faire des suppositions.

3 Par petits groupes, organisez un débat autour du thème : *Le clonage, pour quoi faire ?*

Les intervenants : un(e) modérateur / trice, un(e) chercheur / euse du CNRS, un(e) philosophe, un(e) étudiant(e) en médecine, un(e) parent de malade, un(e) sociologue. Chaque groupe doit avoir un(e) secrétaire de séance.

Le / La modérateur / trice	Le / La chercheur / euse au CNRS	Le / La philosophe	Le / La secrétaire de séance
• Il / Elle introduit le débat (présente le sujet et les intervenants). • Il / Elle gère les temps de parole. • Il / Elle présente des conclusions.	• Il / Elle présente des arguments techniques. • Il / Elle invoque la nécessité d'avancer. • Il / Elle pose le problème du contrôle éthique.	• Il / Elle met l'accent sur les risques du clonage. • Il / Elle pose le problème en termes d'éthique.	• Il / Elle prend note des différents arguments exposés. • Il / Elle présente le compte-rendu du débat au groupe-classe.

L'étudiant(e) en médecine	Le / La parent(e) d'un malade	Le / La sociologue
• Il / Elle reconnaît les risques de cette pratique. • Il / Elle valorise la chance qui s'offre aux malades incurables.	• Il / Elle explique le cas d'un membre de sa famille qui pourrait être guéri grâce au clonage d'organes. • Il / Elle fait référence à des pratiques autorisées dans certains pays. • Il / Elle se déclare favorable au clonage thérapeutique.	• Il / Elle pose le problème de l'acceptation des progrès scientifiques et du défi qu'ils représentent pour la société. • Il / Elle parle d'autres exemples déjà acceptés socialement.

Lire

Lisez le texte ci-contre, puis répondez aux questions suivantes.

1) Comment le personnage principal justifie-t-il son témoignage ?
2) Quel est l'ordre chronologique de ce récit ?
3) Quelle proposition les médecins font-ils à la veuve ? Quel inconvénient présente-t-elle ?
4) Quelle réaction ses proches ont-ils devant la mort de son mari ? Pourquoi ?
5) Comment les sentiments de cette femme évoluent-ils au cours des 20 années écoulées ?
6) Le prélèvement des cellules aboutit-il finalement à un clonage ?
7) Que pensez-vous de cette nouvelle ? L'histoire serait-elle possible de nos jours ?

Écrire

1 Faites un court résumé du récit, puis comparez-le avec le texte initial. Quels éléments avez-vous éliminés et quelle était leur fonction ? Aidez-vous de la liste ci-dessous.

- Donner des précisions sur les lieux, les personnages, les moments.
- Fournir une explication ou une interprétation.
- Prendre à partie / Impliquer le lecteur.
- Évoquer des événements secondaires ou des anecdotes.
- Décrire des réactions, des comportements, des sentiments.
- Faire des commentaires.
- Se justifier.

Toi et moi en 2030

Une nouvelle de Marie Darrieussecq

C'est à la demande d'un magazine d'investigation scientifique que je tente ici de faire le point sur mon histoire conjugale.

On m'a fait comprendre que mon témoignage pourrait aider la recherche féminine, et, j'insiste, c'est uniquement dans le cadre, strictement défini, d'un rapport de cas, que j'accepte de m'étendre ainsi sur ma vie privée, ce dont je n'ai pas l'habitude.

À l'aube de la soixantaine, j'aspire à un peu de tranquillité, et je souhaite aussi réserver à mon mari, qui joue paisiblement à mes côtés, un avenir serein. Pour bien saisir les aspects les plus délicats de notre histoire, il faut se remettre dans le contexte de la fin du siècle précédent, à l'époque où nous, femmes, avions encore besoin de semence masculine pour nous reproduire.

Souvenez-vous : c'était il y a trente ans seulement. J'étais frappée de stérilité psychologique. Nous en étions à notre quatrième tentative de fécondation in vitro, la dernière que remboursait la Sécurité sociale de l'époque, lorsque mon mari, le 21 mars 2001, est décédé, d'un arrêt cardiaque, dans la salle de prélèvements. Les médecins ont évoqué un malencontreux concours de circonstances, l'équinoxe de printemps, la conjugaison des poussées de sève – je n'ai pas voulu en savoir plus. Et quand on m'a proposé de laisser mon mari dans son petit tiroir de la morgue pour le transférer tout simplement, in situ, à la Banque, en évoquant des progrès scientifiques lents mais certains, avec pour seul inconvénient un léger décalage temporel au sein du couple, j'ai tout de suite accepté. Ce n'est que vingt ans plus tard, alors que j'abordais la ménopause, qu'on a renoncé définitivement à améliorer les techniques de décongélation.

Je n'ai certes pas, pendant ces vingt années, joué à la veuve éplorée. Et pour ne rien vous cacher, je n'ai jamais réellement envisagé le retour, décongelé, de mon mari. Les circonstances de son décès étaient connues de la plupart de nos proches, et de fréquents sourires, mal réprimés, accompagnaient les condoléances. Moi-même, en rentrant de ma première visite à la Banque, avais été saisie d'un pénible fou rire. Il faut vous dire aussi que, très rapidement, tout le monde a semblé oublier mon mari. […] Moi, pourtant, je n'oubliais pas tout à fait. L'équipe médicale m'a conseillé les groupes de thérapie, mais je suis une personne indépendante. Il est vrai que tout en étant soulagée, au moment même de sa mort, d'échapper aux canules des FIV*, aux traitements hormonaux et autres triturations, comme le temps passait, me gagnait peu à peu un sentiment d'absence, vague, vide et sans lieu, sans crise, mais que j'avais échoué à éprouver – l'équipe y voyait un lien – à l'annonce de ma stérilité. Je n'étais pas triste, j'étais distraite et disponible, ni veuve, ni divorcée, ni vieille. […] Je pris régulièrement l'habitude de rendre visite à mon mari. C'était une façon de ponctuer le temps. […] Je sortais souvent de la Banque les joues humides. […]

Ce n'est qu'ensuite, en 2022, que j'ai dû me retirer tout à fait de mon travail, pour me reposer quelque temps dans une institution. J'avais alors cinquante-trois ans. Les médecins, découragés sans doute par les progrès trop lents et les nombreux scandales liés aux décongélations ratées, m'ont rendu le corps, en m'adressant à une société de clonage. La société est venue le chercher en camion frigo et nous avons enterré mon mari, une cérémonie intime avec sa vieille mère, sa sœur et quelques amies proches. Les pénibles circonstances de son décès étaient oubliées ; aussi extraordinaire que cela puisse paraître, tout le monde pleurait. La société préleva solennellement un nombre calculé de cellules et je signai les formulaires en qualité de témoin.

* Fécondation in vitro

Marie Darrieussecq © P.O.L.

---

2 Voici une suite possible. Utilisez des fonctions de la liste ci-contre pour la développer (200 mots).

« J'ai encore soixante belles années devant moi. Aujourd'hui Jean-Jacques va sur ses huit ans. Au début, j'ai essayé de suivre le schéma de sa première enfance mais je désapprouve plusieurs points de son éducation antérieure. J'avoue me sentir parfois un peu désorientée, je trouve que nous manquons d'aide. Personne n'est capable de décrire les effets à long terme. »

Continuez…
Si je calcule bien, j'ai encore soixante belles années devant moi **et j'ai la ferme intention d'en profiter.**

● Le discours rapporté

Il existe trois manières différentes de rapporter les paroles d'autrui.

1) **Le discours direct**
   Claire a demandé à Frédéric :
   –Mais t'es pas parisien, toi, à l'origine ?
2) **Le discours indirect**
   –Tout à l'heure, il a dit que quand on commençait à connaître Paris le week-end, on pouvait l'apprécier.
3) **Le discours indirect libre**
   D'accord, il n'y avait pas de lilas dans cette rue-là, mais cela n'avait aucune importance : à Paris tout était possible. N'étaient-ils pas du même avis ?

> Quelles marques formelles permettent de différencier les trois types de discours ? Comparez les phrases suivantes.

–On m'a même donné deux cents francs ! affirmait Idriss en sortant son portefeuille.
Idriss affirmait, en sortant son portefeuille, qu'on lui avait même donné deux cents francs.
Idriss n'en revenait pas ! On lui avait même donné deux cents francs !

▶ DISCOURS DIRECT

Il est parfois précédé de deux points (:), parfois placé entre guillemets (« ») ou précédé d'un tiret (–), dans un dialogue. Le verbe qui introduit le discours rapporté peut se trouver avant, après ou au milieu de la phrase rapportée :
–D'ailleurs, le metteur en scène m'a remarqué.
Idriss renchérit :
–D'ailleurs, renchérit Idriss, le metteur en scène m'a remarqué.
–D'ailleurs, le metteur en scène m'a remarqué, renchérit Idriss.

▶ DISCOURS INDIRECT

Les propos que l'on rapporte sont introduits par un verbe du « dire ».
*Il m'**a annoncé** son intention de démissionner de son entreprise le plus tôt possible.*
Les phrases déclaratives prennent la forme d'une complétive introduite par la conjonction *que*.
*Je t'ai répété plusieurs fois **que** je ne voulais pas travailler dans ces conditions !*
Quand on rapporte une suggestion, un conseil, un ordre ou une promesse, le verbe introducteur est suivi de *de* + infinitif.
*Il m'a donné la carte et m'a dit **de** lui téléphoner.*

Les verbes du « dire » : *annoncer, appeler, approuver, commander, conseiller, crier, (s')exclamer, féliciter, interdire, murmurer, ordonner, promettre, proposer, rappeler, remercier, répéter, reprocher, suggérer…*

▶ DISCOURS INDIRECT LIBRE

L'énonciateur interprète les paroles de l'autre.
Il n'y a pas de verbe introducteur mais il peut y avoir d'autres indices de parole.
Très fréquent dans les romans, il permet de montrer les sentiments ou les émotions des personnages.
Il ne souhaitait pas aborder ce sujet, mais il lui semblait difficile de l'éviter.

Attention !
Le passage du discours direct au discours indirect ne permet pas toujours de retransmettre tous les éléments du discours : les exclamations, les injonctions, etc. se perdent dans cette transformation.

Le discours rapporté

UN CAS PARTICULIER : L'INTERROGATION INDIRECTE

Indépendamment de la structure de la question (intonation, *est-ce que,* inversion du sujet…), il existe une seule façon de la reprendre au discours indirect.

– Si la question porte sur toute la phrase : *Elle m'a demandé **si** je pouvais lui poser une question.*
– Si la question contient un mot interrogatif : *Maryse voulait savoir **ce que** Frédéric en pensait.*
*Claire voulait savoir **quand** Frédéric était arrivé à Paris.*

Observez ces phrases :

Maryse : *C'est pour ça que je suis revenue travailler dans Paris.*
Maryse a reconnu que c'était pour cette raison qu'elle était revenue travailler dans Paris.

> Quelles sont les transformations que subit un énoncé lorsqu'il est mis au discours indirect ?

Ces transformations concernent…

les personnes : pronoms personnels et possessifs (adjectifs et pronoms).
les temps verbaux : si le verbe introducteur est au présent, au futur ou au conditionnel, il n'y a pas de changements ; mais si le verbe introducteur est au passé, il faudra modifier le temps de la subordonnée (voir précis grammatical, page 145).
les indicateurs temporels : si le verbe introducteur est au passé, il peut aussi y avoir des changements (voir précis grammatical, page 145).

1 Classez ces extraits tirés de *Interview* de Christine Angot, paru aux Éditions Fayard selon qu'ils sont au discours direct, au discours indirect ou au discours indirect libre.

1) « Elle me demande si nous avions un dialogue. Elle veut savoir comment c'était la toute première fois. »
2) « Mais nous parlons de choses tellement personnelles en même temps. Qu'elle n'a pas d'enfant. Que ça ne semble pas s'annoncer pour l'instant. Qu'elle n'est pas pressée. »
3) « Tu m'as rejoint. Tu t'es approchée de ma chaise. Tu m'as dit *ne pleure pas, ne pleure pas encore, on ne part pas encore, ne pleure pas encore* ».
4) « On a encore failli se disputer, qu'est-ce qu'il en savait ? Mais on leur a souhaité bonne chance en Afrique finalement. »

2 Transformez le dialogue suivant au discours indirect en variant les verbes introducteurs.

–Hep, là-bas ! Venez par ici !
–Pardon… C'est à moi que vous parlez ?
–Oui, c'est à vous ! Approchez, on vous dit ! Qui êtes-vous ?
Eh bien, je suis le loup. Ça se voit, il me semble…
–Vous êtes le loup ? Très bien ! Et… où allez-vous ?
–Je vais… à mes affaires !
–Quelles affaires ? Où ? Chez qui ?
–Ça ne vous regarde pas !
–Si, ça nous regarde, justement ! Nous sommes la Patrouille du conte et nous venons ici pour faire la police.
–Eh bien, faites-la ! Qui vous en empêche ?
–Nous la faisons, justement, et nous allons commencer par vous !
–Moi ? Mais qu'est-ce que j'ai à faire avec la police ?
–Vous allez le voir… Encore une fois, où allez-vous ?
–Je vous l'ai dit : à mes affaires !
–Vous faites la forte tête… Savez-vous ce que c'est que ceci ?
–Hé, là ! Faites pas les cons ! J'ai horreur des armes à feu !
–Je vois que vous m'avez compris… Alors, maintenant, je vous repose la question : où allez-vous ?
–C'est bon, si vous le prenez comme ça… Je vais chez la grand-mère du petit Chaperon rouge !

Pierre Gripari, *Patrouille du conte,* © L'Âge d'homme

Vivre dans une métropole

La population

- ▶ l'accroissement
- ▶ la diminution
- ▶ la stabilisation
- ▶ le vieillissement

- ▶ l'immigration
- ▶ le flux migratoire
- ▶ le renouvellement
- ▶ le métissage
- ▶ le brassage

- ▶ les classes privilégiées / défavorisées
- ▶ les SDF
- ▶ les sans-abri

1 Quels sont les verbes qui correspondent aux substantifs des blocs 1 et 2 ?

2 Que pouvez-vous dire de la population de votre ville ? Et de votre pays ?

Les conditions de logement

- ▶ le marché / le parc immobilier
- ▶ la demande / l'offre
- ▶ la location, le loyer
- ▶ une location meublée / non meublée, vide

- ▶ un appartement
- ▶ un studio
- ▶ une HLM
- ▶ un deux / trois pièces (F2, F3)
- ▶ un foyer d'accueil
- ▶ un hôtel particulier

Quatre villes millionnaires

Evolution de la population des agglomérations urbaines de plus de 500 000 habitants (en milliers)

	1990	1999
Paris	9 319	9 645
Marseille-Aix-en-Provence	1 231	1 350
Lyon	1 262	1 349
Lille	959	1 001
Nice	857	889
Toulouse	650	761
Bordeaux	696	754
Nantes	496	545
Toulon	438	520
Douai-Lens	323	519

Gérard Mermet, *Francoscopie 2005* © Larousse 2004

3 Est-ce difficile de trouver un logement dans votre ville ? Pourquoi ?

4 Complétez ce texte avec les mots suivants.

accéder, agglomération, manque de confort, dégager, logement, loyers, HLM, ménages

Cet exercice de géographie des pauvretés permet de … (1) de très fortes disparités en fonction des conditions de logement. Seuls 30 % des ménages pauvres habitent en … (2) social, type … (3), occupant ainsi seulement 19 % de ce parc. Un clivage nord-sud apparaît très clairement. Sur cette carte de logement des familles pauvres, les difficultés de l'Île-de-France sont dans l'ensemble plus importantes. En effet, la pénalisation de ceux des … (4) pauvres qui ne parviennent pas à … (5) au logement social y est particulièrement forte, en raison des … (6) élevés de … (7) parisienne. La sur-occupation et … (8) des logements sont aussi deux caractéristiques franciliennes particulièrement marquées.

© *La documentation française*

La ville et ses alentours

- ▶ la banlieue (proche, lontaine)
- ▶ la cité HLM
- ▶ la résidence
- ▶ les alentours, les environs
- ▶ l'agglomération
- ▶ le centre-ville
- ▶ la ceinture industrielle
- ▶ la ZUP
- ▶ l'arrondissement

5 Complétez le texte suivant à l'aide du vocabulaire de la page ci-contre.

Elle habitait très loin du centre, une … (1) dans une … (2) défavorisée au nord de la ville, en pleine … (3). Aux beaux jours, durant le week-end, elle prenait sa mobylette et roulait des heures, au-delà de la … (4), des usines, des entrepôts. Dès qu'elle apercevait au loin un clocher de village se dressant au-dessus des champs de blé, elle commençait à respirer à pleins poumons.

En hiver, elle préférait Paris. Elle parcourait la ville systématiquement, … (5) par … (5). Elle adorait flâner le long des rues en pente et coller son visage à chaque vitrine. Elle restait à l'écart des gens qui déambulaient autour d'elle. Elle était plutôt sauvage.

Des mots pour décrire la ville

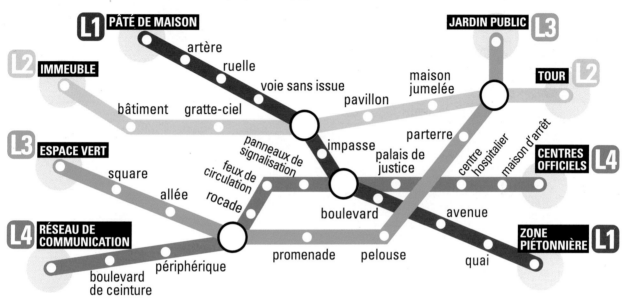

6 Près de quelle ligne de métro préféreriez-vous habiter ?

7 Par petits groupes, choisissez un endroit de votre ville et décrivez-le très précisément à l'aide du vocabulaire ci-dessous. Les autres groupes devineront de quel endroit il s'agit.

▷ On trouve
▷ Il existe
▷ On peut voir
▷ On aperçoit

être… ┬ ▷ orienté(e)
      ├ ▷ situé(e)
      ├ ▷ construit(e), bâti(e)
      ├ ▷ aménagé(e)
      └ ▷ desservi(e)

▷ offrir
▷ posséder
▷ se caractériser (par)

▷ dans
▷ sur
▷ sous
▷ le long de
▷ du haut de

Les inconvénients de la métropole

▷ On peut y souffrir de : solitude, isolement, inadaptation, marginalisation, manque d'intégration…
▷ Il faut parfois : se presser, faire de longs déplacements, rouler dans des rues encombrées, utiliser des moyens de transport bondés, se loger dans des quartiers vétustes, dans des rues passantes, subir des agressions…

8 Répondez aux questions suivantes.

1) Pensez-vous que les inconvénients cités ci-dessus sont réels ?
2) Lesquels trouvez-vous les plus gênants ?
3) Y a-t-il d'autres inconvénients à vivre dans une très grande ville ?
4) À l'inverse, quels sont les avantages au fait de vivre dans une métropole ?

Paris encore et toujours

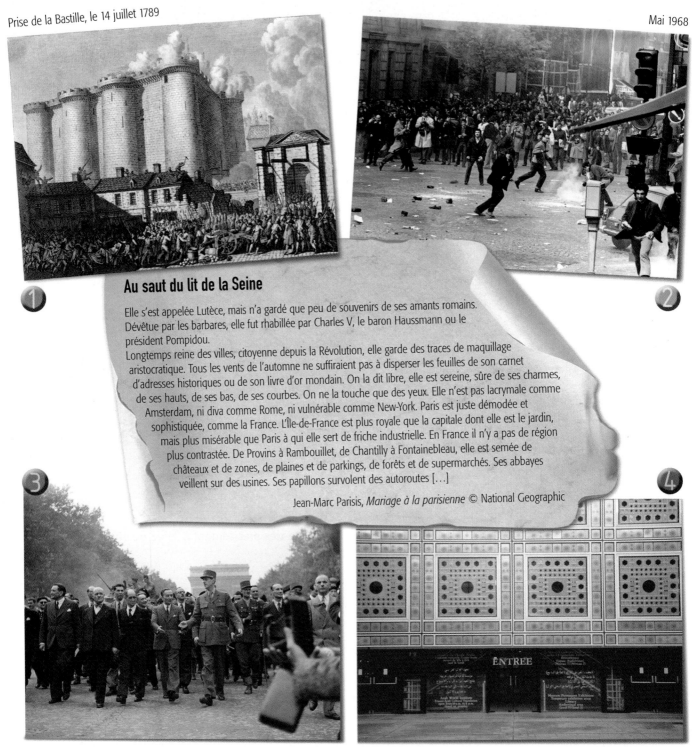

Prise de la Bastille, le 14 juillet 1789

Mai 1968

Au saut du lit de la Seine

Elle s'est appelée Lutèce, mais n'a gardé que peu de souvenirs de ses amants romains. Dévêtue par les barbares, elle fut rhabillée par Charles V, le baron Haussmann ou le président Pompidou.

Longtemps reine des villes, citoyenne depuis la Révolution, elle garde des traces de maquillage aristocratique. Tous les vents de l'automne ne suffiraient pas à disperser les feuilles de son carnet d'adresses historiques ou de son livre d'or mondain. On la dit libre, elle est sereine, sûre de ses charmes, de ses hauts, de ses bas, de ses courbes. On ne la touche que des yeux. Elle n'est pas lacrymale comme Amsterdam, ni diva comme Rome, ni vulnérable comme New-York. Paris est juste démodée et sophistiquée, comme la France. L'Île-de-France est plus royale que la capitale dont elle est le jardin, mais plus misérable que Paris à qui elle sert de friche industrielle. En France il n'y a pas de région plus contrastée. De Provins à Rambouillet, de Chantilly à Fontainebleau, elle est semée de châteaux et de zones, de plaines et de parkings, de forêts et de supermarchés. Ses abbayes veillent sur des usines. Ses papillons survolent des autoroutes [...]

Jean-Marc Parisis, *Mariage à la parisienne* © National Geographic

Le général de Gaulle descendant les Champs-Élysées le 26 août 1944

L'Institut du monde arabe

1 Lisez le texte et observez les photos. Faites la chronologie des différents événements historiques auxquels il est fait référence. Que savez-vous de ces événements ?

2 Retrouvez sur une carte de l'Île-de-France les lieux cités.

3 Y a-t-il d'autres lieux dans Paris qui évoquent pour vous l'histoire de la ville ou du pays ? Lesquels ? Présentez-les.

Un long séjour en pays francophone

Vous désirez partir dans un pays francophone pour un stage professionnel dans le secteur du tourisme. Vous allez préparer votre séjour.

1 La ville de votre choix.

1) Mettez-vous par petits groupes. Prenez chacun un papier et écrivez le nom d'une ville francophone où vous aimeriez vivre. Pliez les papiers et tirez au sort une ville.

2) Maintenant, à l'intérieur de chaque groupe, répartissez-vous la recherche d'informations sur cette ville : les quartiers et leurs caractéristiques, l'environnement, les transports, les activités de loisirs, les possibilités de logement. Mettez en commun vos informations.

2 L'appartement de votre choix. Lisez ces petites annonces et choisissez le type de quartier et de logement que vous préférez.

St-Laurent, Superbe 6 1/2
Prix : 1075 chauffé
Offre de Particulier parue le 2004.07.10
Grand 6 1/2 à louer, haut de duplex. Il est situé près des métros Collège et Côte Vertu. 3 chambres à coucher et une petite chambre pour un bureau. Grande cuisine avec entrée laveuse/sécheuse. 2 salles de bain complètes (bain et douche) dont une dans la chambre des maîtres.
Planchers de bois franc. Deux balcons. Grand salon/salle à manger.
Quartier tranquille et sécuritaire, près des écoles, parcs, piscines, centres d'achats, autoroutes et métros. Le prix est 1075$, incluant le chauffage.
Occupation fin Juillet 2004 ou début Août 2004. Le logement est idéal pour une petite famille ou un couple de professionnels.
Québec

ANNONCES NATIONALES

AMIENS ▼

offre de location
Appartement - 2 pièces
400 € (2.624 FF)
Loue studio 2ᵉ étage, quartier Sᵗᵉ Anne, calme. Libre au 1/9/2004. Proche tous commerces et lignes de bus. 5 min à pied de la gare et 10 min à pied du centre-ville. Loyer indiqué inclut taxe ordures ménagères et électricité des communs.

AVIGNON ▼

Loue T3 meublé Avignon (intra-muros) à 500 m des facs, 65 m² 1ᵉʳ étage. Grande pièce, deux chambres, coin cuisine, salle d'eau, chauffage électrique.
Px : 680 €/mois charges comprises (hors EDF et eau). **Tél : 06 61 10 17 34**

MARSEILLE ▼

Particulier loue au cœur de Mazargues (MARSEILLE 9ᵉ) proche facs de Luminy T3, 70 m² environ, hall, pièce principale, cuisine, salle d'eau/WC, rangement, balcon, interphone, cave. Calme, côté cour, proche tous commerces et bus, disponible août 2004, loyer mensuel 735 € + charges comprenant CHAUFFAGE, eau, ord. ménagères... 60 €/mois pas de frais d'agence

☎ **06-87-89-75-37**

Merci de me contacter par téléphone

7 Après la pluie, le beau temps. L'orage est passé. Après quelques semaines de bon voisinage, vous décidez d'organiser une fête. Écrivez le texte d'invitation que vous allez envoyer à vos nouvelles connaissances.

8 Ambiance. Voici trois extraits de chansons présentant des visions différentes de Paris. À votre tour, cherchez une chanson francophone que vous associez à la ville où vous séjournez.

Châtelet

Châtelet
Châtelet-les halles
Station balnéaire
Mais où y a pas la mer
Voir un peu de bleu
Châtelet

© Atletico Music

Les Parisiens

Les Parisiens
Dès qu'on touche leur patelin
D'un regard ou d'un rien
Ça s'entend bien

Paroles et musique de Léo Ferré
© LES NOUVELLES ÉDITIONS MERIDIAN PARMUSIC &
LA MÉMOIRE ET LA MER

Lili Eiffel

Lili est cool sur la Seine
Qu'on la mate, qu'on la trouve belle
Elle s'en fout qu'on soit fou d'elle
Fou de la tour Eiffel

Marc Gauvin © Universal Music Publishing SA

1 Choisissez l'option qui convient (a, b, c) pour compléter le texte suivant.

Le derby du Nord entre Brescia et Milan a tourné à la tragédie après la mort … (1) de Marcello Rovigo : un supporter milanais âgé de 24 ans. Les deux clubs sont rivaux … (2) toujours et cette rencontre du championnat italien de première division … (3), samedi soir, trop de passions. Six autocars de supporters milanais sans billets sont parvenus au stade vers 20 heures. La police, prévenue tardivement de cette arrivée massive, … (4) de tenter de les canaliser sur l'esplanade du Rigamonti, situé en pleine … (5). Les forces de l'ordre ont … (6) été prises entre deux feux, les Milanais de l'intérieur du stade, qui jetaient … (7) qu'ils avaient sous la main, et les … (8) centaines encore à l'extérieur, qui faisaient le forcing pour entrer. C'est … (9) de passer le mur d'enceinte que le jeune supporter … (10) mortellement blessé.

1)	a) hier	b) la veille	c) le lendemain
2)	a) après	b) depuis	c) dès
3)	a) avait encore déchaîné	b) a encore déchaîné	c) aura encore déchaîné
4)	a) décidait	b) avait décidé	c) a décidé
5)	a) HLM	b) ville	c) agglomération
6)	a) donc	b) pourtant	c) alors
7)	a) tout ce	b) tout le	c) tout
8)	a) quelques-uns	b) quelques-unes	c) quelques
9)	a) essayant	b) en essayant	c) en voulant
10)	a) se	b) c'est	c) s'est

2 Complétez le texte suivant à l'aide des mots ou expressions qui vous sont donnés dans le désordre.

> analyse / aurait / brebis / car / celui de / ceux / chercheurs / clé / dépendant / développée / équipe / les / n'importe lequel / pourtant / puisque / qui / si / site / taux / tiendrait

Génétique. Le premier clone d'animal domestique est texan.

CHATON « COPIE CONFORME »

Il est mignon comme un chaton noir, blanc et roux. Et d'ailleurs, c'en est un. Mais pas …(1) : un clone. Le premier clone de chat. Aussi a-t-il sa photo dans un article de *Nature* livré hier sur le … (2) du journal britannique. Cc, - … (3) tel est son nom, acronyme de Carbon copy - est l'œuvre d'une … (4) de l'université A & M du Texas. C'est le premier animal familier fabriqué à la manière de la … (5) Dolly. Il est né de cette fastidieuse manipulation qui consiste à introduire l'ADN de l'adulte que l'on veut cloner dans un ovule préalablement vidé de son propre ADN. Conduits par Mark Westhusin, les … (6) ont isolé des cellules prélevées dans le cumulus ovarien (tissu qui entoure l'ovaire) d'une chatte de type « trois couleurs », … (7) ont injectées dans une série d'ovules énucléés. Ils ont obtenu trois embryons de clones qu'ils ont transférés dans l'utérus d'une chatte porteuse. Le 22 décembre 2001, naissait Cc.

Une … (8) génétique a confirmé que Cc a un ADN parfaitement identique à … (9) la cellule prélevée sur la chatte trois couleurs. La vérification n'était pas superflue, … (10) la fourrure du bébé n'est pas identique à son clone, la répartition de la pigmentation … (11) aussi de l'environnement de l'embryon. … (12) qui souhaitent un clone parfait de leur défunt chat ou chien préféré en seront donc pour leurs frais.

C'est … (13) pour eux que cette expérience a été réalisée. Elle a été financée, selon le Wall Street Journal, par John Sperling, 81 ans, … (14) a fondé la société Genetic Savings and Clone, la dotant de 3,5 millions de dollars. En échange de son soutien à cette université A & M du Texas, la firme … (15) une licence exclusive sur la technologie … (16) par les chercheurs pour le clonage des animaux familiers. En l'état, cette technologie n'a de nouveau que le … (17) de succès affiché : une naissance pour trois embryons de clones transférés in utero. La … (18) de cette efficacité … (19) à la nature des cellules utilisées. L'équipe texane rapporte 82 tentatives avec des cellules prélevées dans la muqueuse buccale d'un chat, deux tentatives avec des cellules de peau : échecs. Alors que ça marche … (20) bien avec le cumulus ovarien… Dans ces conditions, seules les chattes sont clonables.

© *Libération* 15/02/02

1. Le groupe du nom

1.1 Les adjectifs et les pronoms indéfinis (leçon 1)

Adjectifs et pronoms indéfinis peuvent exprimer différents degrés de quantité, la diversité ou la similitude, la totalité…

	ADJECTIFS	PRONOMS
LA QUANTITÉ	plusieurs, certain(e)(s) quelques aucun(e)	plusieurs, certain(e)(s) quelque chose, quelques-un(e)s personne, rien, aucun(e)
LA RESSEMBLANCE	le même, la même, les mêmes	le même, la même, les mêmes
LA DIFFÉRENCE	un(e) autre, d'autres, l'autre, les autres	un(e) autre, d'autres, l'autre, les autres
L'INDIVIDUALITÉ	chaque	chacun(e)
LA TOTALITÉ	tout, toute, tous, toutes	tout, toute, tous, toutes

L'expression **n'importe**… exprime l'indéfinition.

ADJECTIFS	PRONOMS	
n'importe + adjectif interrogatif + nom	n'importe + adverbe ou pronom interrogatif	
quel, quelle, quels, quelles	qui, quoi, où, quand, comment	lequel, laquelle, lesquels, lesquelles

*C'est très facile, **n'importe qui** peut y arriver.* → Tout le monde peut y arriver.

Le pronom indéfini **on** peut renvoyer à :
– tout le monde, les gens : *En France, on déjeune à midi et on dîne à 20 heures.*
– nous : *Marc et moi, on s'est mariés l'année dernière à Cannes.*
– tu / vous : *Les enfants, on se dépêche et on finit ses devoirs !*

1.2 Les pronoms compléments (leçon 3)

Pronoms COD	SINGULIER	PLURIEL
1re personne	me / m' / moi*	nous
2e personne	te / t' / toi*	vous
3e personne	le / la / l'	les

* Avec des verbes à l'impératif affirmatif

Pronoms COI	SINGULIER	PLURIEL
1re personne	me / m' / moi*	nous
2e personne	te / t' / toi*	vous
3e personne	lui	leur

* Avec des verbes à l'impératif affirmatif

LA PLACE DES PRONOMS COMPLÉMENTS
– S'il y a un seul pronom, il précède le verbe, sauf à l'impératif affirmatif : *Les clés, je **les** ai laissées sur la table. Prends-**les** !*
Attention ! Avec deux verbes dont un à l'infinitif, le pronom se place entre les deux : *On veut **nous** mettre en concurrence.*
– S'il y a deux pronoms, ils suivent l'ordre suivant :

COD / COI	COD	COI	
me, te, se, nous, vous, se	le, la, les	lui, leur	en, y

*Je suis fatigué de **le lui** répéter à longueur de journée.*
Cet ordre change si le verbe est à l'impératif affirmatif :

COD	COD / COI	
le, la, les	me / moi, te / toi, lui, nous, vous, leur	en, y

*Rédigez une lettre de motivation et envoyez-**la-moi** avec votre CV.*

1.3 Les pronoms interrogatifs (leçon 1)

FORMES SIMPLES
– invariables : *que*, (prép. +) *qui*, prép. + *quoi*
– variables : *lequel, laquelle, lesquels, lesquelles*
– Après *à* et *de* : *auquel, à laquelle, auxquels,*
                    auxquelles, duquel, de laquelle,
                    desquels, desquelles
        De qui sont-elles en train de parler ?
        De laquelle dépendez-vous ?

FORMES RENFORCÉES
Qui est-ce qui a vu mon bandeau ? (personne, sujet)
Qui est-ce que tu as rencontré au gymnase ?
    (personne, COD)
Qu'est-ce qui te motive le plus ? (chose, sujet)
Qu'est-ce que tu as oublié au vestiaire ? (chose, COD)
À quoi est-ce que vous consacrez votre temps libre ?
    (chose, complément)

1.4 Les pronoms relatifs simples et composés (leçon 5)

FORMES SIMPLES
En français, le choix du pronom relatif simple dépend de la fonction qu'il occupe dans la subordonnée qu'il introduit :
– *qui* :   *Le directeur veut parler avec les élèves* **qui** *se sont plaints.* (sujet)
– *que* :   *Les questions* **que** *tu me poses sont très pertinentes.* (COD)
– *où* :   *À Paris, j'ai visité la maison* **où** *Victor Hugo est né.* (complément de lieu)
          C'est une période **où** *tous les étudiants pensent aux vacances.* (complément de temps)
– *dont* : *C'est un individu* **dont** *il vaut mieux se méfier.* (complément de verbe)
          Je connais un peintre **dont** *les tableaux sont très appréciés.* (complément de nom)
          Il y a des pronostics **dont** *personne ne peut être sûr.* (complément d'adjectif)
– *quoi* : (avec un antécédent neutre et précédé d'une préposition) : *Je devine ce à* **quoi** *tu penses.* (complément
        de verbe)
        C'est quelque chose à **quoi** *il est préparé* (complément d'adjectif)
Qui et *que* servent aussi à former la tournure présentative *c'est … qui / que* (voir point 6 : la mise en relief).
        C'est Paul Guimard **qui** *a écrit* Rue du Havre, *j'en suis certain.*

FORMES COMPOSÉES

	MASCULIN	FÉMININ	à / de + MASCULIN	à / de + FÉMININ
SINGULIER	lequel	laquelle	auquel, duquel	à laquelle, de laquelle
PLURIEL	lesquels	lesquelles	auxquels, desquels	auxquelles, desquelles

Les pronoms relatifs composés sont toujours précédés d'une préposition ou d'une locution prépositionnelle. Excepté au féminin singulier, **avec *à* et *de*, on trouve des formes contractées** :
– *à* : *La chose* **à laquelle** *je pense est irréalisable.*
  Le problème **auquel** *je me réfère est sans solution.*
– autres prépositions : *Les causes* **pour lesquelles** *il milite sont toujours nobles.*
  La chanson **avec laquelle** *il a gagné n'est vraiment pas originale.*
– locutions prépositionnelles : *La restructuration* **en raison de laquelle** *mon frère a été licencié lui a été*
  finalement bénéfique.
  Le monument **en face duquel** *elle se trouve est une pure merveille.*

Attention !
– *lequel :* quand l'antécédent est animé, on emploie plutôt *qui*, bien que les relatifs composés soient tolérés :
  La fille **à qui / laquelle** *je parle est bilingue.*
  Le garçon avec **qui / lequel** *elle travaille est le fils de l'ébéniste.*
– *duquel :* la forme contractée avec *de* ne se trouve que dans des constructions formées à partir d'une locution prépositionnelle :
  L'homme **en face de qui / en face duquel** *je suis assise n'arrête pas de me regarder.* Mais
  Cet homme **dont** *j'ignore le nom est bien mal élevé.*

2. Le groupe du verbe

2.1 Choix des temps du passé

	IMPARFAIT	PASSÉ COMPOSÉ / PASSÉ SIMPLE	PLUS-QUE-PARFAIT
décrire / évoquer des habitudes	✔		
parler de faits ou d'événements ponctuels		✔	
marquer l'antériorité par rapport à un temps passé			✔

2.2 Le passé simple (leçon 2)

Ce temps du passé est surtout employé dans la langue écrite (littéraire, historique, journalistique). Il a pratiquement les mêmes valeurs que le passé composé :
– Il présente l'action comme un fait achevé dans le passé.
– Il s'oppose à l'imparfait, qui implique une vision de durée.
> Le bras **glissa** légèrement et elle ne **sentit** plus rien.

2.3 Le subjonctif (leçon 4)

Le subjonctif est un mode verbal qui sert principalement à exprimer la subjectivité. En plus du subjonctif présent, il existe le subjonctif passé, qui se forme avec un auxiliaire (*être* ou *avoir*) au subjonctif présent et le participe passé du verbe que l'on conjugue. Le subjonctif passé sert à indiquer l'antériorité par rapport au verbe principal :
> Je suis vraiment déçu **que tu aies raté** ton concours, tu avais beaucoup travaillé.
> Le candidat est ravi **que son parti ait gagné** les élections.

Lorsque le sujet de la proposition subordonnée est différent de celui de la proposition principale, on utilise une forme du subjonctif. Si c'est le même, on préfère l'infinitif :
> Je suis surprise **que tu aies pu** le faire tout seul. (sujet 1 ≠ sujet 2)
> Je suis surprise **d'avoir pu** le faire toute seule. (sujet 1 = sujet 2)

L'ALTERNANCE INDICATIF / SUBJONCTIF DANS LES COMPLÉTIVES

Si le verbe de la principale exprime…	dans la complétive on utilise…	
	le subjonctif	l'indicatif
• la volonté, le souhait, le désir*, le refus…	✔	
• les sentiments, les goûts ou préférences…	✔	
• le doute, la possibilité, l'éventualité…	✔	
• l'improbabilité	✔	
• la probabilité		✔
• la connaissance, le jugement…		✔
• la déclaration		✔
• l'opinion (forme affirmative)		✔
• l'opinion (forme négative)	✔	

* exception : *espérer que* + indicatif.
> J'espère qu'il réussira son examen !

On utilise aussi le subjonctif pour exprimer certains rapports logiques (but, concession… ; voir point 5 : Les rapports logiques) :
> Je suis venue **pour que tu me dises** la vérité.
> Il appellera **à moins qu'il ne dorme** déjà.

2.4 Le participe présent (leçon 8)

Le participe présent sert à remplacer une proposition relative introduite par le pronom *qui*. Il s'agit alors d'un complément du nom :

> *Cette exposition montre des objets **appartenant** à des acteurs célèbres.* (qui appartiennent)
> *Ce pourcentage représente les personnes **étant** actuellement au chômage.* (qui sont)

Il existe aussi une forme composée (participe présent de l'auxiliaire + participe passé du verbe que l'on conjugue) :

> *J'ai connu un médecin **ayant travaillé** plusieurs années pour la Croix-Rouge.* (qui a / avait travaillé)

Le participe présent sert aussi à exprimer la cause ; dans ce cas, la subordonnée précède souvent la proposition principale :

> *Tes dépenses **étant** excessives, tu n'arriveras jamais à faire des économies.*
> ***Ayant été** malade, il a pris du retard dans son travail.*

2.5 Le gérondif (leçon 8)

Le gérondif sert à marquer divers rapports circonstanciels, en particulier le temps, la manière, la cause et la condition :

> *On a pris tranquillement un apéritif **en attendant** les derniers invités.* (temps)
> *Ne parlez pas **en mangeant**, c'est malpoli.* (manière)
> *Notre restaurant a obtenu le premier prix **en proposant** une carte tout à fait originale.* (cause, manière)
> *Tu améliorerais ta sauce **en** y **ajoutant** du basilic.* (condition)

2.6 Le passif impersonnel (leçon 8)

Certains verbes pronominaux ont une valeur proche des constructions passives :

> *Comment **se sert**-il, ce petit vin ?* (→ *Comment doit-on servir ce petit vin ?*)

Cette construction n'est possible que si le sujet est un nom de chose.

3. L'expression du temps

3.1 Le moment (leçon 3)

a) Le locuteur raconte quelque chose qui se déroule au moment où il parle :

MOMENT ANTÉRIEUR	MOMENT PRÉSENT	MOMENT POSTÉRIEUR
hier	aujourd'hui	demain
hier matin / soir / après-midi	ce matin / soir	demain matin / soir / après-midi
la semaine / l'année dernière	cet après-midi	la semaine / l'année prochaine
le mois dernier	cette semaine / année…	le mois prochain
il y a deux jours / six mois… que	ce mois-ci	dans deux jours / six mois…
autrefois, avant, jadis…	maintenant, actuellement…	dans quelques années, bientôt…

b) Le locuteur rapporte un fait passé ou annonce quelque chose qui se produira dans l'avenir.

MOMENT ANTÉRIEUR	MOMENT DE RÉFÉRENCE	MOMENT POSTÉRIEUR
la veille	ce jour-là	le lendemain
la veille au matin / soir	ce matin-là / soir-là	le lendemain matin / soir / après-midi
la semaine / l'année d'avant / précédente	cet après-midi-là	la semaine / l'année d'après / suivante
le mois d'avant / précédent	cette semaine-là / année-là	le mois d'après / suivant
deux jours avant / plus tôt…	ce mois-là	deux jours après / plus tard…

3.2 La fréquence (leçon 3)

On peut exprimer la fréquence à l'aide d'adverbes, de groupes nominaux et de locutions :

*Il leur manquait un bénévole, c'était **trois fois par semaine**.*

***Chaque fois que** je le rencontre, j'ai envie de changer de boulot.*

*Nous **participons rarement / souvent / de temps en temps** aux assemblées.*

***Le lundi**, nous programmons ensemble les activités de la semaine.*

3.3 La durée (leçon 3)

AVEC POINT DE REPÈRE		SANS
dans le passé	dans le futur	
depuis	dans	pendant
il y a	d'ici à	pour
ça fait … que	jusque / jusqu'à	en

*J'ai travaillé dans cette boîte **pendant** 40 ans. Heureusement, je prends ma retraite **dans** six mois !*

3.4 Le début et la fin (leçon 3)

PRÉPOSITIONS

DÉBUT	FIN
dès	
à partir de	jusque / jusqu'à
depuis	
de … à, depuis … jusque / jusqu'à	

CONJONCTIONS

DÉBUT	FIN
dès que	jusqu'à ce que
depuis que (+ indicatif)	(+ subjonctif)

*Je travaille dans cette usine **depuis** l'âge de 20 ans / **depuis que** j'ai 20 ans. Et je vais y rester **jusqu'à** ma retraite…*

3.5 L'antériorité, la postériorité et la simultanéité (leçon 6)

Pour exprimer le temps et le rapport d'un événement ou d'une action par rapport à un(e) autre, on emploie :

a) une proposition subordonnée

– **simultanéité** : *quand, lorsque, au moment où, pendant que, tandis que, alors que, dès que, aussitôt que…* + verbes à l'indicatif :

Dès qu'il termine un tableau, il en commence un autre.

– **antériorité** : *quand, lorsque, depuis que, dès que, aussitôt que, après que…* + verbe à un temps composé de l'indicatif :

*Je te passerai un coup de fil **aussitôt que** je serai descendue de l'avion.*

– **postériorité** : *avant que (ne), jusqu'à ce que…* + verbe au subjonctif :

*Il considère ses œuvres comme inachevées **jusqu'à ce qu'**elles aient été exposées.*

b) une préposition ou locution prépositionnelle

– **simultanéité** : *au moment de* + infinitif ; *lors de, dès, pendant, durant, depuis…* + nom :

***Au moment de** monter dans le train, il s'est aperçu qu'il avait oublié son billet.*

*Ne sois pas inquiet, je te passerai un coup de fil **dès** mon arrivée.*

– **antériorité** : *après* + infinitif passé ; *après, dès…* + nom :

*Elle n'a prévenu ses parents qu'**après** être arrivée à destination.*

*La clôture du festival aura lieu **après** la remise des prix.*

– **postériorité** : *avant de, en attendant de* + infinitif ; *avant, en attendant* + nom :

*Les candidats patientaient dans une salle **en attendant d'**être appelés.*

*Ils bavardaient **en attendant** l'affichage des résultats.*

4. L'expression du lieu

4.1 Prépositions (leçon 5)

Pour situer quelque chose dans l'espace, on dispose de nombreuses prépositions qu'on choisira en fonction de la perspective envisagée (lieu où l'on est, lieu où l'on va, lieu d'où l'on vient) et du type de nom de lieu mentionné (nom commun ou nom propre) : *à, chez, contre, dans, de, derrière, devant, en, entre, par, parmi, pour, sous, sur, vers…*
Pour exprimer le déplacement : *de … à, de … vers, de … jusqu'à, entre … et…*

> Il habite **à** Lisbonne / **au** Portugal / **dans** ma ville / **entre** Brives **et** Limoges / **derrière** l'église.
> Je pars en vacances **en** Irlande / **sur** la côte, **dans** un petit village qui est **parmi** les plus beaux du monde.
> Prenez l'autoroute qui va **de** Grenoble **à** Lyon / **de** Grenoble **vers** Lyon / **de** Grenoble **jusqu'à** Lyon.

4.2 Locutions prépositionnelles (leçon 5)

à droite / à gauche de, à l'écart de, à l'intérieur / à l'extérieur de, au-dessus / au-dessous de, auprès de, autour de, au sommet de, au-delà de, en bordure de, en dehors de, en face de, près / loin de…

> Mais non, ce n'est pas **en bordure de** mer ! C'est **au-dessous de** Lyon…
> Arrivé **au sommet de** la montagne, on peut voir la mer.
> La zone industrielle se trouve **autour de** la ville.

4.3 Adverbes (leçon 5)

dedans / dehors, (par-) dessus / dessous, en haut / bas, ici / ailleurs, là-bas, partout, nulle part, quelque part…

> Jamais satisfait, il veut aller **ailleurs**, descendre plus **bas**…
> Pour rejoindre le village, il faut passer **par-dessous**.

4.4 Pronoms (leçon 5)

Le pronom relatif *où* et les pronoms adverbiaux *en* et *y* servent aussi à exprimer le lieu :

> Je cherche à louer une villa **où** passer mes vacances.
> Retourner habiter au centre-ville ! Merci, j'**en** viens et maintenant que je me sens bien ici, j'**y** suis, j'**y** reste.

5. Les rapports logiques

5.1 L'opposition (leçon 6)

On exprime l'opposition lorsqu'on met en valeur les différences qui existent entre deux faits. Pour exprimer explicitement l'opposition, on dispose de :
– **locutions prépositionnelles** : *au lieu de…*
– **mots de coordination** : *mais, pourtant, néanmoins…*
– **adverbes / locutions adverbiales** : *cependant, toutefois, au contraire, par contre, en revanche…*
– **conjonctions de subordination** : *alors que / tandis que* (+ indicatif)

> C'est bien ça, **tandis que** je bosse toute la journée, tu passes ton temps à regarder la télé !
> Tu n'as pas bien entendu, la prof n'a pas dit vin **mais** vent.

5.2 La concession (leçon 6)

On exprime la concession lorsqu'on présente un événement qui n'a pas lieu comme la logique l'aurait exigé. Pour exprimer explicitement la concession :
– **prépositions / locutions prépositionnelles** : *malgré, en dépit de…*
– **mots de coordination** : *mais, pourtant, néanmoins…*
– **adverbes / locutions adverbiales** : *cependant, pourtant, quand même, tout de même…*
– **conjonctions de subordination** : *même si* (+ indicatif), *bien que / quoique* (+ subjonctif)
    ***Bien que** tu aies fait d'énormes progrès, ton français reste insuffisant.*
    *Je ne suis pas allé dîner avec eux, **même si** j'en avais très envie.*

5.3 L'expression de la cause (leçon 7)

On exprime la cause lorsqu'on présente la raison ou l'origine d'une action, d'un fait ou d'un événement, à l'aide de :
– **prépositions / locutions prépositionnelles** : *pour* (cause considérée comme une punition ou une récompense), *à cause de* (cause négative), *grâce à* (cause positive), *en raison de, à force de* (idée d'intensité ou de répétition), *de peur / crainte de…*
– **mots de coordination** : *car, en effet…*
– **conjonctions de subordination** : *parce que, puisque* (cause connue de l'interlocuteur), *comme, étant donné que, sous prétexte que, de peur / crainte que…*
– **participe présent** (forme simple ou composée)
– **lexique** : *la raison, le prétexte, le motif… ; être dû à, être causé par, être à l'origine de…*
    *Les gens étaient prévenus de l'arrivée de la camionnette **grâce à** une petite musique.*
    *Activer votre réseau d'amis n'est pas inutile, **car** au moins, vous connaîtrez mieux les besoins du marché.*
    *Le propriétaire l'a licenciée **sous prétexte qu'**il avait besoin de son véhicule.*
    ***Comme** elle n'avait pas d'expérience, Sandra a eu beaucoup de mal à trouver son premier emploi.*
    ***Voulant** en savoir plus que tout le monde, elle a réussi à agacer tous les invités.*

5.4 L'expression de la conséquence (leçon 7)

La conséquence est la suite qu'un fait ou une action entraîne. Pour l'exprimer, on dispose de :
– **mots de coordination** : *alors, donc, par conséquent, c'est pourquoi, en conséquence, d'où, en effet…*
– **conjonctions de subordination** : *si bien que, de sorte que…* (+ indicatif)
– **lexique** : *la conséquence, le résultat, la conclusion, l'effet… ; causer, provoquer, occasionner, entraîner, amener…*
    *Le voleur s'était déguisé en Père Noël. **Par conséquent** les témoins n'ont pas pu l'identifier.*
    *Mon professeur de peinture est venu au vernissage **si bien que** j'ai pu discuter un peu avec lui.*

5.5 L'expression du but (leçon 7)

On exprime le but quand on présente l'objectif, l'intention qui justifie un fait ou un événement. Pour l'expliciter, on dispose de :
– **locutions prépositionnelles** : *pour, de manière / de façon à, en vue de, dans le but de…*
– **conjonctions de subordination** : *pour que, de sorte que, de façon (à ce) que, de manière (à ce) que…* (+ subjonctif)
– **lexique** : *le but, l'objectif, l'intention…*
    *Faites tout ce que vous pouvez **pour** vous faire connaître.*
    *L'entreprise fait appel au recruteur **pour qu'**il trouve la personne la plus qualifiée.*
Attention à l'expression *de sorte que* !
    *Mes parents ont pris leur retraite **de sorte qu'ils auront** beaucoup de temps libre.* (conséquence)
    *Jacqueline a donné le numéro de son portable à tous ses amis **de sorte qu'ils puissent** la joindre à tout moment.* (but)

a) Subordonnées introduites par la conjonction *si*

subordonnée introduite par *si*	proposition principale
verbe au présent / passé composé	verbe au présent / futur ou à l'impératif
verbe à l'imparfait	verbe au conditionnel (présent ou passé)
verbe au plus-que-parfait	verbe au conditionnel (présent ou passé)

– La structure **si** + **présent** / **futur** / **impératif** sert à exprimer la condition :

Si je ne trouve pas un job sur place, j'irai chercher ailleurs. / suis-moi à l'étranger !

– La structure **si** + **imparfait** / **conditionnel présent** sert à exprimer l'éventualité, le souhait. On parle dans ce cas d'*hypothèse improbable* ou d'*irréel du présent* :

Si je contactais un chasseur de têtes, j'aurais une possibilité de changer de boulot.

– La structure **si** + **plus-que-parfait** / **conditionnel passé** sert à exprimer des regrets, à faire des reproches. On parle dans ce cas d'*hypothèse irréelle* ou d'*irréel du passé* :

Si j'avais suivi ses conseils, j'aurais trouvé un travail mieux rémunéré.

b) Subordonnées introduites par d'autres conjonctions

– **au cas où** + verbe au conditionnel :

*Je vais téléphoner à Paola **au cas où** elle aurait oublié notre rendez-vous.*

– **à condition que** + verbe au subjonctif :

*Le retraité peut résider dans n'importe quel pays, **à condition qu'**il ne soit pas à la charge de ce nouveau pays.*

– **à moins que (ne)** + verbe au subjonctif :

*Les enfants viendront dîner **à moins qu'**ils (ne) soient invités ailleurs.*

c) Autres moyens

– **préposition + nom / infinitif** : *avec, sans… (+ nom) ; à condition de, à moins de… (+ infinitif)*

Sans son aide financière, l'entreprise ne pourra plus continuer à fonctionner.

*Nous arriverons avant la nuit **à condition de** partir maintenant.*

– **préposition + nom / infinitif** : *en cas de (+ nom), sans (+ nom ou infinitif), à moins de (+ nom ou infinitif)…*

*Téléphone-moi **en cas de** problème.*

***À moins de** perdre vraiment tes moyens, tu réussiras cet examen.*

– **gérondif** :

***En faisant** un peu plus attention, tu ferais moins de gaffes.*

***En t'excusant** maintenant, tout s'arrangerait.*

– **la conjonction *sinon*** :

*Tais-toi, **sinon** tout le monde sera au courant de nos petites histoires !*

6. La mise en relief (leçon 6)

Divers procédés permettent de mettre en relief un élément de la phrase :

– **élément en début de phrase** :

Malgré ses efforts, il n'a pas réussi à terminer à temps.

– **tournure présentative *c'est … qui / que* en début de phrase** :

C'est aux couleurs que je pense quand je commence un tableau.

– **démonstratif + relatif + tournure présentative** :

Ce qui m'intéresse avant tout, c'est d'émouvoir le spectateur de mon œuvre.

– **reprise du nom par un pronom** :

Pierre, lui, préfère rester.

– **nominalisation du verbe** :

L'amélioration du service public, tel est l'objectif du projet.

– **proposition participe** :

Annoncée par le Premier ministre, la réforme prévoit des transferts importants.

7. L'expression de la comparaison (leçon 8)

Le choix du **comparatif** dépend du rapport que l'on établit entre un élément et l'autre (supériorité, infériorité ou égalité) et du mot sur lequel porte la comparaison :

	SUPÉRIORITÉ	INFÉRIORITÉ	ÉGALITÉ
ADJECTIFS	plus … que	moins … que	aussi … que
NOMS	plus de … que	moins de … que	autant de … que
VERBES	plus que	moins que	autant que
ADVERBES	plus … que	moins … que	aussi … que

Attention aux comparatifs irréguliers :
– adjectifs : *meilleur(e)(s), pire(s)*
    *Cet appareil est **meilleur que** le mien.*
– adverbe : *mieux*
    *Il parle l'anglais **mieux que** moi.*

Le **superlatif** sert à comparer quelqu'un ou quelque chose à tous les autres :
– **superlatif de supériorité :** *le / la / les plus… (+ de…)*
– **superlatif d'infériorité :** *le / la / les moins… (+ de…)*
    *C'est l'appareil numérique **le plus** léger (de tous).*

On peut établir des **parallélismes** à l'aide des expressions : *plus … plus, moins … moins, plus … moins, moins … plus, autant … autant.*
    ***Plus** vous êtes fidèle, **plus** vous êtes gagnant.*
    ***Plus** je mange, **moins** je grossis !*

8. Le discours rapporté (leçon 10)

Attention ! Le passage du discours direct au discours indirect ne permet pas toujours de rendre tous les éléments du discours (exclamations, injonctions, etc.) :
    Tu ne peux pas faire attention ? C'est pas possible ! → Elle lui demanda s'il ne pouvait pas faire attention.

8.1 Le discours direct

Il est parfois précédé de deux points (:), parfois situé entre guillemets (« »), parfois précédé d'un tiret (-).
Le verbe qui introduit le discours rapporté peut se trouver avant, après ou au milieu de la phrase rapportée :
    Claire a demandé à Frédéric :
    –Mais t'es pas parisien, toi, à l'origine ?
    –De la banlieue, répondit-il.

8.2 Le discours indirect

Les propos que l'on rapporte sont introduits par un verbe du « dire » : *annoncer, demander, répondre…*
Les phrases déclaratives prennent la forme d'une complétive introduite par la conjonction *que*, les phrases impératives sont rapportées à l'aide d'un infinitif ou d'un subjonctif :
    *Il m'a donné la carte et m'a dit **de** lui téléphoner.*
    *Il a exigé **qu'**on lui réponde dès le lendemain.*

8.3 L'interrogation indirecte

Indépendamment de la façon dont la question est posée (intonation, *est-ce que*, inversion du sujet…), il existe une seule façon de la reprendre au discours indirect :

a) Questions fermées (la question porte sur toute la phrase) :

Elle m'a demandé si je pouvais lui poser une question.

b) Questions ouvertes (la question contient un mot interrogatif) :

– *que / qu'est-ce-que :*

Maryse voulait savoir ce que Frédéric en pensait.

– *comment, pourquoi, quand…*

Claire voulait savoir quand Frédéric était arrivé à Paris.

Attention ! Pas d'inversion du sujet au style indirect.

8.4 Le discours indirect libre

L'énonciateur interprète les paroles de l'autre personne : il n'y a pas de verbe introducteur mais il peut y avoir d'autres indices de parole. Il est très fréquent dans les romans car il permet de montrer les sentiments ou émotions des personnages :

Idriss n'en revenait pas ! On lui avait même donné deux cents francs !

8.5 Les transformations

a) **Personnes** : pronoms personnels, adjectifs et pronoms possessifs changent :

Je crois que tu devrais faire ta valise. Il lui dit qu'il devrait faire sa valise.

b) **Temps verbaux** : si le verbe introducteur est au présent, au futur ou au conditionnel, il n'y a pas de changements ; mais si le verbe introducteur est au passé, il faudra modifier le temps de la subordonnée :

DISCOURS DIRECT		DISCOURS INDIRECT
présent	➡	imparfait
imparfait	➡	imparfait / plus-que-parfait
passé composé	➡	plus-que-parfait
plus-que-parfait	➡	plus-que-parfait
futur	➡	conditionnel présent
futur antérieur	➡	conditionnel passé

C'est de ta faute ! me dira-t-il. → Il me dira que c'est de ma faute !
« Le professeur sera absent pendant une semaine ». → Le directeur a annoncé que le professeur d'anglais serait absent pendant une semaine.

c) **Indicateurs temporels** : si le verbe introducteur est au passé, il peut aussi y avoir des changements:

DISCOURS DIRECT		DISCOURS INDIRECT
hier	➡	la veille
la semaine dernière	➡	la semaine précédente
le mois prochain	➡	le mois suivant / d'après

Je suis venue te voir hier. › Elle m'a dit qu'elle était venue me voir la veille.

8.6 Les verbes du « dire »

admettre	crier	promettre	répéter
annoncer	exiger	proposer	reprocher
appeler	interdire	rappeler	(s')exclamer
approuver	murmurer	recommander	suggérer
conseiller	ordonner	redire	supplier

INFINITIF	PRÉSENT	IMPARFAIT	PASSÉ SIMPLE	PASSÉ COMPOSÉ	FUTUR	CONDITIONNEL	SUBJONCTIF PRÉSENT	IMPÉRATIF PART. PRÉSENT
AVOIR	j'ai tu as il/elle/on a nous avons vous avez ils/elles ont	j'avais tu avais il/elle/on avait nous avions vous aviez ils/elles avaient	j'eus tu eus il/elle/on eut nous eûmes vous eûtes ils/elles eurent	j'ai eu tu as eu il/elle/on a eu nous avons eu vous avez eu ils/elles ont eu	j'aurai tu auras il/elle/on aura nous aurons vous aurez ils/elles auront	j'aurais tu aurais il/elle/on aurait nous aurions vous auriez ils/elles auraient	que j'aie que tu aies qu'il/elle/on ait que nous ayons que vous ayez qu'ils/elles aient	aie ayons ayez ayant
ÊTRE	je suis tu es il/elle/on est nous sommes vous êtes ils/elles sont	j'étais tu étais il/elle/on était nous étions vous étiez ils/elles étaient	je fus tu fus il/elle/on fut nous fûmes vous fûtes ils/elles furent	j'ai été tu as été il/elle/on a été nous avons été vous avez été ils/elles ont été	je serai tu seras il/elle/on sera nous serons vous serez ils/elles seront	je serais tu serais il/elle/on serait nous serions vous seriez ils/elles seraient	que je sois que tu sois qu'il/elle/on soit que nous soyons que vous soyez qu'ils/elles soient	sois soyons soyez étant
AIMER	j'aime tu aimes il/elle/on aime nous aimons vous aimez ils/elles aiment	j'aimais tu aimais il/elle/on aimait nous aimions vous aimiez ils/elles aimaient	j'aimai tu aimas il/elle/on aima nous aimâmes vous aimâtes ils/elles aimèrent	j'ai aimé tu as aimé il/elle/on a aimé nous avons aimé vous avez aimé ils/elles ont aimé	j'aimerai tu aimeras il/elle/on aimera nous aimerons vous aimerez ils/elles aimeront	j'aimerais tu aimerais il/elle/on aimerait nous aimerions vous aimeriez ils/elles aimeraient	que j'aime que tu aimes qu'il/elle/on aime que nous aimions que vous aimiez qu'ils/elles aiment	aime aimons aimez aimant
ALLER	je vais tu vas il/elle/on va nous allons vous allez ils/elles vont	j'allais tu allais il/elle/on allait nous allions vous alliez ils/elles allaient	j'allai tu allas il/elle/on alla nous allâmes vous allâtes ils/elles allèrent	je suis allé(e) tu es allé(e) il/elle/on est allé(e)(s) nous sommes allé·e·s vous êtes allé(e)(s) ils/elles sont allé(e)s	j'irai tu iras il/elle/on ira nous irons vous irez ils/elles iront	j'irais tu irais il/elle/on irait nous irions vous iriez ils/elles iraient	que j'aille que tu ailles qu'il/elle/on aille que nous allions que vous alliez qu'ils/elles aillent	va allons allez allant
APPELER	j'appelle tu appelles il/elle/on appelle nous appelons vous appelez ils/elles appellent	j'appelais tu appelais il/elle/on appelait nous appelions vous appeliez ils/elles appelaient	j'appelai tu appelas il/elle/on appela nous appelâmes vous appelâtes ils/elles appelèrent	j'ai appelé tu as appelé il/elle/on a appelé nous avons appelé vous avez appelé ils/elles ont appelé	j'appellerai tu appelleras il/elle/on appellera nous appellerons vous appellerez ils/elles appelleront	j'appellerais tu appellerais il/elle/on appellerait nous appellerions vous appelleriez ils/elles appelleraient	que j'appelle que tu appelles qu'il/elle/on appelle que nous appelions que vous appeliez qu'ils/elles appellent	appelle appelons appelez appelant
ATTENDRE (DESCENDRE, RÉPONDRE, ENTENDRE, VENDRE)	j'attends tu attends il/elle/on attend nous attendons vous attendez ils/elles attendent	j'attendais tu attendais il/elle/on attendait nous attendions vous attendiez ils/elles attendaient	j'attendis tu attendis il/elle/on attendit nous attendîmes vous attendîtes ils/elles attendirent	j'ai attendu tu as attendu il/elle/on a attendu nous avons attendu vous avez attendu ils/elles ont attendu	j'attendrai tu attendras il/elle/on attendra nous attendrons vous attendrez ils/elles attendront	j'attendrais tu attendrais il/elle/on attendrait nous attendrions vous attendriez ils/elles attendraient	que j'attende que tu attendes qu'il/elle/on attende que nous attendions que vous attendiez qu'ils/elles attendent	attends attendons attendez attendant
BOIRE	je bois tu bois il/elle/on boit nous buvons vous buvez ils/elles boivent	je buvais tu buvais il/elle/on buvait nous buvions vous buviez ils/elles buvaient	je bus tu bus il/elle/on but nous bûmes vous bûtes ils/elles burent	j'ai bu tu as bu il/elle/on a bu nous avons bu vous avez bu ils/elles ont bu	je boirai tu boiras il/elle/on boira nous boirons vous boirez ils/elles boiront	je boirais tu boirais il/elle/on boirait nous boirions vous boiriez ils/elles boiraient	que je boive que tu boives qu'il/elle/on boive que nous buvions que vous buviez qu'ils/elles boivent	bois buvons buvez buvant
CHOISIR	je choisis tu choisis il/elle/on choisit nous choisissons vous choisissez ils/elles choisissent	je choisissais tu choisissais il/elle/on choisissait nous choisissions vous choisissiez ils/elles choisissaient	je choisis tu choisis il/elle/on choisit nous choisîmes vous choisîtes ils/elles choisirent	j'ai choisi tu as choisi il/elle/on a choisi nous avons choisi vous avez choisi ils/elles ont choisi	je choisirai tu choisiras il/elle/on choisira nous choisirons vous choisirez ils/elles choisiront	je choisirais tu choisirais il/elle/on choisirait nous choisirions vous choisiriez ils/elles choisiraient	que je choisisse que tu choisisses qu'il/elle/on choisisse que nous choisissions que vous choisissiez qu'ils/elles choisissent	choisis choisissons choisissez choisissant
AVANCER	j'avance tu avances il/elle/on avance nous avançons vous avancez ils/elles avancent	j'avançais tu avançais il/elle/on avançait nous avancions vous avanciez ils/elles avançaient	j'avançai tu avanças il/elle/on avança nous avançâmes vous avançâtes ils/elles avancèrent	j'ai avancé tu as avancé il/elle/on a avancé nous avons avancé vous avez avancé ils/elles ont avancé	j'avancerai tu avanceras il/elle/on avancera nous avancerons vous avancerez ils/elles avanceront	j'avancerais tu avancerais il/elle/on avancerait nous avancerions vous avanceriez ils/elles avanceraient	que j'avance que tu avances qu'il/elle/on avance que nous avancions que vous avanciez qu'ils/elles avancent	avance avançons avancez avançant

INFINITIF	PRÉSENT	IMPARFAIT	PASSÉ SIMPLE	PASSÉ COMPOSÉ	FUTUR	CONDITIONNEL	SUBJONCTIF PRÉSENT	IMPÉRATIF PART. PRÉSENT
CONNAÎTRE	je connais	je connaissais	je connus	j'ai connu	je connaîtrai	je connaîtrais	que je connaisse	connais
	tu connais	tu connaissais	tu connus	tu as connu	tu connaîtras	tu connaîtrais	que tu connaisses	connaissons
	il/elle/on connaît	il/elle/on connaissait	il/elle/on connut	il/elle/on a connu	il/elle/on connaîtra	il/elle/on connaîtrait	qu'il/elle/on connaisse	connaissez
	nous connaissons	nous connaissions	nous connûmes	nous avons connu	nous connaîtrons	nous connaîtrions	que nous connaissions	
	vous connaissez	vous connaissiez	vous connûtes	vous avez connu	vous connaîtrez	vous connaîtriez	que vous connaissiez	
	ils/elles connaissent	ils/elles connaissaient	ils/elles connurent	ils/elles ont connu	ils/elles connaîtront	ils/elles connaîtraient	qu'ils/elles connaissent	connaissant
CRAINDRE (JOINDRE, PEINDRE)	je crains	je craignais	je craignis	j'ai craint	je craindrai	je craindrais	que je craigne	crains
	tu crains	tu craignais	tu craignis	tu as craint	tu craindras	tu craindrais	que tu craignes	craignons
	il/elle/on craint	il/elle/on craignait	il/elle/on craignit	il/elle/on a craint	il/elle/on craindra	il/elle/on craindrait	qu'il/elle/on craigne	craignez
	nous craignons	nous craignions	nous craignîmes	nous avons craint	nous craindrons	nous craindrions	que nous craignions	
	vous craignez	vous craigniez	vous craignîtes	vous avez craint	vous craindrez	vous craindriez	que vous craigniez	
	ils/elles craignent	ils/elles craignaient	ils/elles craignirent	ils/elles ont craint	ils/elles craindront	ils/elles craindraient	qu'ils/elles craignent	craignant
CROIRE	je crois	je croyais	je crus	j'ai cru	je croirai	je croirais	que je croie	crois
	tu crois	tu croyais	tu crus	tu as cru	tu croiras	tu croirais	que tu croies	croyons
	il/elle/on croit	il/elle/on croyait	il/elle/on crut	il/elle/on a cru	il/elle/on croira	il/elle/on croirait	qu'il/elle/on croie	croyez
	nous croyons	nous croyions	nous crûmes	nous avons cru	nous croirons	nous croirions	que nous croyions	
	vous croyez	vous croyiez	vous crûtes	vous avez cru	vous croirez	vous croiriez	que vous croyiez	
	ils/elles croient	ils/elles croyaient	ils/elles crurent	ils/elles ont cru	ils/elles croiront	ils/elles croiraient	qu'ils/elles croient	croyant
DEVOIR	je dois	je devais	je dus	j'ai dû	je devrai	je devrais	que je doive	
	tu dois	tu devais	tu dus	tu as dû	tu devras	tu devrais	que tu doives	
	il/elle/on doit	il/elle/on devait	il/elle/on dut	il/elle/on a dû	il/elle/on devra	il/elle/on devrait	qu'il/elle/on doive	
	nous devons	nous devions	nous dûmes	nous avons dû	nous devrons	nous devrions	que nous devions	
	vous devez	vous deviez	vous dûtes	vous avez dû	vous devrez	vous devriez	que vous deviez	
	ils/elles doivent	ils/elles devaient	ils/elles durent	ils/elles ont dû	ils/elles devront	ils/elles devraient	qu'ils/elles doivent	devant
DIRE	je dis	je disais	je dis	j'ai dit	je dirai	je dirais	que je dise	dis
	tu dis	tu disais	tu dis	tu as dit	tu diras	tu dirais	que tu dises	disons
	il/elle/on dit	il/elle/on disait	il/elle/on dit	il/elle/on a dit	il/elle/on dira	il/elle/on dirait	qu'il/elle/on dise	dites
	nous disons	nous disions	nous dîmes	nous avons dit	nous dirons	nous dirions	que nous disions	
	vous dites	vous disiez	vous dîtes	vous avez dit	vous direz	vous diriez	que vous disiez	
	ils/elles disent	ils/elles disaient	ils/elles dirent	ils/elles ont dit	ils/elles diront	ils/elles diraient	qu'ils/elles disent	disant
DORMIR	je dors	je dormais	je dormis	j'ai dormi	je dormirai	je dormirais	que je dorme	dors
	tu dors	tu dormais	tu dormis	tu as dormi	tu dormiras	tu dormirais	que tu dormes	dormons
	il/elle/on dort	il/elle/on dormait	il/elle/on dormit	il/elle/on a dormi	il/elle/on dormira	il/elle/on dormirait	qu'il/elle/on dorme	dormez
	nous dormons	nous dormions	nous dormîmes	nous avons dormi	nous dormirons	nous dormirions	que nous dormions	
	vous dormez	vous dormiez	vous dormîtes	vous avez dormi	vous dormirez	vous dormiriez	que vous dormiez	
	ils/elles dorment	ils/elles dormaient	ils/elles dormirent	ils/elles ont dormi	ils/elles dormiront	ils/elles dormiraient	qu'ils/elles dorment	dormant
ÉCRIRE (DÉCRIRE)	j'écris	j'écrivais	j'écrivis	j'ai écrit	j'écrirai	j'écrirais	que j'écrive	écris
	tu écris	tu écrivais	tu écrivis	tu as écrit	tu écriras	tu écrirais	que tu écrives	écrivons
	il/elle/on écrit	il/elle/on écrivait	il/elle/on écrivit	il/elle/on a écrit	il/elle/on écrira	il/elle/on écrirait	qu'il/elle/on écrive	écrivez
	nous écrivons	nous écrivions	nous écrivîmes	nous avons écrit	nous écrirons	nous écririons	que nous écrivions	
	vous écrivez	vous écriviez	vous écrivîtes	vous avez écrit	vous écrirez	vous écririez	que vous écriviez	
	ils/elles écrivent	ils/elles écrivaient	ils/elles écrivirent	ils/elles ont écrit	ils/elles écriront	ils/elles écriraient	qu'ils/elles écrivent	écrivant
ENVOYER (PAYER, ESSAYER)	j'envoie	j'envoyais	j'envoyai	j'ai envoyé	j'enverrai	j'enverrais	que j'envoie	envoie
	tu envoies	tu envoyais	tu envoyas	tu as envoyé	tu enverras	tu enverrais	que tu envoies	envoyons
	il/elle/on envoie	il/elle/on envoyait	il/elle/on envoya	il/elle/on a envoyé	il/elle/on enverra	il/elle/on enverrait	qu'il/elle/on envoie	envoyez
	nous envoyons	nous envoyions	nous envoyâmes	nous avons envoyé	nous enverrons	nous enverrions	que nous envoyions	
	vous envoyez	vous envoyiez	vous envoyâtes	vous avez envoyé	vous enverrez	vous enverriez	que vous envoyiez	
	ils/elles envoient	ils/elles envoyaient	ils/elles envoyèrent	ils/elles ont envoyé	ils/elles enverront	ils/elles enverraient	qu'ils/elles envoient	envoyant
FAIRE (DÉFAIRE, REFAIRE)	je fais	je faisais	je fis	j'ai fait	je ferai	je ferais	que je fasse	fais
	tu fais	tu faisais	tu fis	tu as fait	tu feras	tu ferais	que tu fasses	faisons
	il/elle/on fait	il/elle/on faisait	il/elle/on fit	il/elle/on a fait	il/elle/on fera	il/elle/on ferait	qu'il/elle/on fasse	faites
	nous faisons	nous faisions	nous fîmes	nous avons fait	nous ferons	nous ferions	que nous fassions	
	vous faites	vous faisiez	vous fîtes	vous avez fait	vous ferez	vous feriez	que vous fassiez	
	ils/elles font	ils/elles faisaient	ils/elles firent	ils/elles ont fait	ils/elles feront	ils/elles feraient	qu'ils/elles fassent	faisant

INFINITIF	PRÉSENT	IMPARFAIT	PASSÉ SIMPLE	PASSÉ COMPOSÉ	FUTUR	CONDITIONNEL	SUBJONCTIF PRÉSENT	IMPÉRATIF PART. PRÉSENT
FALLOIR	il faut	il fallait	il fallut	il a fallu	il faudra	il faudrait	qu'il faille	
FINIR	je finis	je finissais	je finis	j'ai fini	je finirai	je finirais	que je finisse	finis
	tu finis	tu finissais	tu finis	tu as fini	tu finiras	tu finirais	que tu finisses	finissons
	il/elle/on finit	il/elle/on finissait	il/elle/on finit	il/elle/on a fini	il/elle/on finira	il/elle/on finirait	qu'il/elle/on finisse	finissez
	nous finissons	nous finissions	nous finîmes	nous avons fini	nous finirons	nous finirions	que nous finissions	
	vous finissez	vous finissiez	vous finîtes	vous avez fini	vous finirez	vous finiriez	que vous finissiez	
	ils/elles finissent	ils/elles finissaient	ils/elles finirent	ils/elles ont fini	ils/elles finiront	ils/elles finiraient	qu'ils/elles finissent	finissant
SE LEVER	je me lève	je me levais	je me levai	je me suis levé(e)	je me lèverai	je me lèverais	que je me lève	lève-toi
	tu te lèves	tu te levais	tu te leva	tu t'es levé(e)	tu te lèveras	tu te lèverais	que tu te lèves	levons-nous
	il/elle/on se lève	il/elle/on se levait	il/elle/on se leva	il/elle/on s'est levé(e)(s)	il/elle/on se lèvera	il/elle/on se lèverait	qu'il/elle/on se lève	levez-vous
	nous nous levons	nous nous levions	nous nous levâmes	nous nous sommes levé(e)s	nous nous lèverons	nous nous lèverions	que nous nous levions	
	vous vous levez	vous vous leviez	vous vous levâtes	vous vous êtes levé(e)(s)	vous vous lèverez	vous vous lèveriez	que vous vous leviez	
	ils/elles se lèvent	ils/elles se levaient	ils/elles se levèrent	ils/elles se sont levé(e)s	ils/elles se lèveront	ils/elles se lèveraient	qu'ils/elles se lèvent	se levant
LIRE (TRADUIRE, PLAIRE)	je lis	je lisais	je lus	j'ai lu	je lirai	je lirais	que je lise	lis
	tu lis	tu lisais	tu lus	tu as lu	tu liras	tu lirais	que tu lises	lisons
	il/elle/on lit	il/elle/on lisait	il/elle/on lut	il/elle/on a lu	il/elle/on lira	il/elle/on lirait	qu'il/elle/on lise	lisez
	nous lisons	nous lisions	nous lûmes	nous avons lu	nous lirons	nous lirions	que nous lisions	
	vous lisez	vous lisiez	vous lûtes	vous avez lu	vous lirez	vous liriez	que vous lisiez	
	ils/elles lisent	ils/elles lisaient	ils/elles lurent	ils/elles ont lu	ils/elles liront	ils/elles liraient	qu'ils/elles lisent	lisant
MANGER	je mange	je mangeais	je mangeai	j'ai mangé	je mangerai	je mangerais	que je mange	mange
	tu manges	tu mangeais	tu mangeas	tu as mangé	tu mangeras	tu mangerais	que tu manges	mangeons
	il/elle/on mange	il/elle/on mangeait	il/elle/on mangea	il/elle/on a mangé	il/elle/on mangera	il/elle/on mangerait	qu'il/elle/on mange	mangez
	nous mangeons	nous mangions	nous mangeâmes	nous avons mangé	nous mangerons	nous mangerions	que nous mangions	
	vous mangez	vous mangiez	vous mangeâtes	vous avez mangé	vous mangerez	vous mangeriez	que vous mangiez	
	ils/elles mangent	ils/elles mangeaient	ils/elles mangèrent	ils/elles ont mangé	ils/elles mangeront	ils/elles mangeraient	qu'ils/elles mangent	mangeant
METTRE	je mets	je mettais	je mis	j'ai mis	je mettrai	je mettrais	que je mette	mets
	tu mets	tu mettais	tu mis	tu as mis	tu mettras	tu mettrais	que tu mettes	mettons
	il/elle/on met	il/elle/on mettait	il/elle/on mit	il/elle/on a mis	il/elle/on mettra	il/elle/on mettrait	qu'il/elle/on mette	mettez
	nous mettons	nous mettions	nous mîmes	nous avons mis	nous mettrons	nous mettrions	que nous mettions	
	vous mettez	vous mettiez	vous mîtes	vous avez mis	vous mettrez	vous mettriez	que vous mettiez	
	ils/elles mettent	ils/elles mettaient	ils/elles mirent	ils/elles ont mis	ils/elles mettront	ils/elles mettraient	qu'ils/elles mettent	mettant
OUVRIR (OFFRIR, COUVRIR, DÉCOUVRIR)	j'ouvre	j'ouvrais	j'ouvris	j'ai ouvert	j'ouvrirai	j'ouvrirais	que j'ouvre	ouvre
	tu ouvres	tu ouvrais	tu ouvris	tu as ouvert	tu ouvriras	tu ouvrirais	que tu ouvres	ouvrons
	il/elle/on ouvre	il/elle/on ouvrait	il/elle/on ouvrit	il/elle/on a ouvert	il/elle/on ouvrira	il/elle/on ouvrirait	qu'il/elle/on ouvre	ouvrez
	nous ouvrons	nous ouvrions	nous ouvrîmes	nous avons ouvert	nous ouvrirons	nous ouvririons	que nous ouvrions	
	vous ouvrez	vous ouvriez	vous ouvrîtes	vous avez ouvert	vous ouvrirez	vous ouvririez	que vous ouvriez	
	ils/elles ouvrent	ils/elles ouvraient	ils/elles ouvrirent	ils/elles ont ouvert	ils/elles ouvriront	ils/elles ouvriraient	qu'ils/elles ouvrent	ouvrant
PARTIR (SORTIR)	je pars	je partais	je partis	je suis parti(e)	je partirai	je partirais	que je parte	pars
	tu pars	tu partais	tu partis	tu es parti(e)	tu partiras	tu partirais	que tu partes	partons
	il/elle/on part	il/elle/on partait	il/elle/on partit	il/elle/on est parti(e)(s)	il/elle/on partira	il/elle/on partirait	qu'il/elle/on parte	partez
	nous partons	nous partions	nous partîmes	nous sommes parti(e)s	nous partirons	nous partirions	que nous partions	
	vous partez	vous partiez	vous partîtes	vous êtes parti(e)(s)	vous partirez	vous partiriez	que vous partiez	
	ils/elles partent	ils/elles partaient	ils/elles partirent	ils/elles sont parti(e)s	ils/elles partiront	ils/elles partiraient	qu'ils/elles partent	partant
PLEUVOIR	il pleut	il pleuvait	il plut	il a plu	il pleuvra	il pleuvrait	qu'il pleuve	
PRENDRE (APPRENDRE, COMPRENDRE)	je prends	je prenais	je pris	j'ai pris	je prendrai	je prendrais	que je prenne	prends
	tu prends	tu prenais	tu pris	tu as pris	tu prendras	tu prendrais	que tu prennes	prenons
	il/elle/on prend	il/elle/on prenait	il/elle/on prit	il/elle/on a pris	il/elle/on prendra	il/elle/on prendrait	qu'il/elle/on prenne	prenez
	nous prenons	nous prenions	nous prîmes	nous avons pris	nous prendrons	nous prendrions	que nous prenions	
	vous prenez	vous preniez	vous prîtes	vous avez pris	vous prendrez	vous prendriez	que vous preniez	
	ils/elles prennent	ils/elles prenaient	ils/elles prirent	ils/elles ont pris	ils/elles prendront	ils/elles prendraient	qu'ils/elles prennent	prenant

INFINITIF	PRÉSENT	IMPARFAIT	PASSÉ SIMPLE	PASSÉ COMPOSÉ	FUTUR	CONDITIONNEL	SUBJONCTIF PRÉSENT	IMPÉRATIF PART. PRÉSENT
POUVOIR	je peux tu peux il/elle/on peut nous pouvons vous pouvez ils/elles peuvent	je pouvais tu pouvais il/elle/on pouvait nous pouvions vous pouviez ils/elles pouvaient	je pus tu pus il/elle/on put nous pûmes vous pûtes ils/elles purent	j'ai pu tu as pu il/elle/on a pu nous avons pu vous avez pu ils/elles ont pu	je pourrai tu pourras il/elle/on pourra nous pourrons vous pourrez ils/elles pourront	je pourrais tu pourrais il/elle/on pourrait nous pourrions vous pourriez ils/elles pourraient	que je puisse que tu puisses qu'il/elle/on puisse que nous puissions que vous puissiez qu'ils/elles puissent	 pouvant
RÉPÉTER	je répète tu répètes il/elle/on répète nous répétons vous répétez ils/elles répètent	je répétais tu répétais il/elle/on répétait nous répétions vous répétiez ils/elles répétaient	je répétai tu répétas il/elle/on répéta nous répétâmes vous répétâtes ils/elles répétèrent	j'ai répété tu as répété il/elle/on a répété nous avons répété vous avez répété ils/elles ont répété	je répéterai tu répéteras il/elle/on répétera nous répéterons vous répéterez ils/elles répéteront	je répéterais tu répéterais il/elle/on répéterait nous répéterions vous répéteriez ils/elles répéteraient	que je répète que tu répètes qu'il/elle/on répète que nous répétions que vous répétiez qu'ils/elles répètent	répète répétons répétez répétant
RÉSOUDRE	je résous tu résous il/elle/on résout nous résolvons vous résolvez ils/elles résolvent	je résolvais tu résolvais il/elle/on résolvait nous résolvions vous résolviez ils/elles résolvaient	je résolus tu résolus il/elle/on résolut nous résolûmes vous résolûtes ils/elles résolurent	j'ai résolu tu as résolu il/elle/on a résolu nous avons résolu vous avez résolu ils/elles ont résolu	je résoudrai tu résoudras il/elle/on résoudra nous résoudrons vous résoudrez ils/elles résoudront	je résoudrais tu résoudrais il/elle/on résoudrait nous résoudrions vous résoudriez ils/elles résoudraient	que je résolve que tu résolves qu'il/elle/on résolve que nous résolvions que vous résolviez qu'ils/elles résolvent	résous résolvons résolvez résolvant
SAVOIR	je sais tu sais il/elle/on sait nous savons vous savez ils/elles savent	je savais tu savais il/elle/on savait nous savions vous saviez ils/elles savaient	je sus tu sus il/elle/on sut nous sûmes vous sûtes ils/elles surent	j'ai su tu as su il/elle/on a su nous avons su vous avez su ils/elles ont su	je saurai tu sauras il/elle/on saura nous saurons vous saurez ils/elles sauront	je saurais tu saurais il/elle/on saurait nous saurions vous sauriez ils/elles sauraient	que je sache que tu saches qu'il/elle/on sache que nous sachions que vous sachiez qu'ils/elles sachent	sache sachons sachez sachant
SUIVRE	je suis tu suis il/elle/on suit nous suivons vous suivez ils/elles suivent	je suivais tu suivais il/elle/on suivait nous suivions vous suiviez ils/elles suivaient	je suivis tu suivis il/elle/on suivit nous suivîmes vous suivîtes ils/elles suivirent	j'ai suivi tu as suivi il/elle/on a suivi nous avons suivi vous avez suivi ils/elles ont suivi	je suivrai tu suivras il/elle/on suivra nous suivrons vous suivrez ils/elles suivront	je suivrais tu suivrais il/elle/on suivrait nous suivrions vous suivriez ils/elles suivraient	que je suive que tu suives qu'il/elle/on suive que nous suivions que vous suiviez qu'ils/elles suivent	suis suivons suivez suivant
VENIR (DEVENIR, REVENIR, TENIR, OBTENIR)	je viens tu viens il/elle/on vient nous venons vous venez ils/elles viennent	je venais tu venais il/elle/on venait nous venions vous veniez ils/elles venaient	je vins tu vins il/elle/on vint nous vînmes vous vîntes ils/elles vinrent	je suis venu(e) tu es venu(e) il/elle/on est venu(e)(s) nous sommes venu(e)s vous êtes venu(e)(s) ils/elles sont venu(e)s	je viendrai tu viendras il/elle/on viendra nous viendrons vous viendrez ils/elles viendront	je viendrais tu viendrais il/elle/on viendrait nous viendrions vous viendriez ils/elles viendraient	que je vienne que tu viennes qu'il/elle/on vienne que nous venions que vous veniez qu'ils/elles viennent	viens venons venez venant
VIVRE	je vis tu vis il/elle/on vit nous vivons vous vivez ils/elles vivent	je vivais tu vivais il/elle/on vivait nous vivions vous viviez ils/elles vivaient	je vécus tu vécus il/elle/on vécut nous vécûmes vous vécûtes ils/elles vécurent	j'ai vécu tu as vécu il/elle/on a vécu nous avons vécu vous avez vécu ils/elles ont vécu	je vivrai tu vivras il/elle/on vivra nous vivrons vous vivrez ils/elles vivront	je vivrais tu vivrais il/elle/on vivrait nous vivrions vous vivriez ils/elles vivraient	que je vive que tu vives qu'il/elle/on vive que nous vivions que vous viviez qu'ils/elles vivent	vis vivons vivez vivant
VOIR	je vois tu vois il/elle/on voit nous voyons vous voyez ils/elles voient	je voyais tu voyais il/elle/on voyait nous voyions vous voyiez ils/elles voyaient	je vis tu vis il/elle/on vit nous vîmes vous vîtes ils/elles virent	j'ai vu tu as vu il/elle/on a vu nous avons vu vous avez vu ils/elles ont vu	je verrai tu verras il/elle/on verra nous verrons vous verrez ils/elles verront	je verrais tu verrais il/elle/on verrait nous verrions vous verriez ils/elles verraient	que je voie que tu voies qu'il/elle/on voie que nous voyions que vous voyiez qu'ils/elles voient	vois voyons voyez voyant
VOULOIR	je veux tu veux il/elle/on veut nous voulons vous voulez ils/elles veulent	je voulais tu voulais il/elle/on voulait nous voulions vous vouliez ils/elles voulaient	je voulus tu voulus il/elle/on voulut nous voulûmes vous voulûtes ils/elles voulurent	j'ai voulu tu as voulu il/elle/on a voulu nous avons voulu vous avez voulu ils/elles ont voulu	je voudrai tu voudras il/elle/on voudra nous voudrons vous voudrez ils/elles voudront	je voudrais tu voudrais il/elle/on voudrait nous voudrions vous voudriez ils/elles voudraient	que je veuille que tu veuilles qu'il/elle/on veuille que nous voulions que vous vouliez qu'ils/elles veuillent	 voulant

irréguliers   impersonnels

On trouvera ici les transcriptions des enregistrements dont le texte ne figure pas dans les leçons.

UNITÉ 0 : « En tête »

Activité 1, page 12

–À propos, tu sais quel texto je viens de trouver sur mon portable ?

–Comment veux-tu que je le sache ? Dis-le moi !

–Non ! Devine !

–Allez, vas-y !

–C'est facile ! Cherche un peu !

–De qui il est d'abord, ce message ? Du type d'hier soir qui te draguait sans arrêt ?

–Quel type ? Ah ! Stéphane ? Non, je lui ai pas donné mon numéro ! Mais tu y es presque ! C'est quelqu'un qu'on a vu hier soir !

–Attends ! Ah, je sais ! La nana du resto, celle avec qui t'as bossé l'été dernier ?

–Tout juste ! C'était Élodie. Eh ben, tu sais ce qu'elle me demande dans son texto ?

–Mais non, dis-le moi ! Ne m'prends pas la tête !

–Elle me demande de lui passer ton numéro de portable ! Elle t'a trouvé très cool et très mignon ! T'as vu, t'as fait une touche ! Qu'est-ce que je fais ? Je lui donne ?

Activité 2, page 12

–Mais non, madame, il n'est pas question de supprimer les facteurs d'allergie ! C'est impossible ! Il s'agit uniquement de renforcer l'organisme de ceux qui en sont victimes pour les soulager. D'atténuer leur souffrance et de leur éviter la contrainte d'avoir à prendre, à longueur de temps, des médicaments forcément nocifs.

–Je ne suis pas tout à fait d'accord avec ce genre de propos ! Je sais bien que ce n'est pas le corps médical qui peut améliorer notre environnement, l'air que nous respirons et la nourriture que nous mangeons, mais quand même !

–Voyons, soyons clairs ! C'est lamentable que les professionnels de la santé ne proclament pas, haut et fort, les dangers qu'on court à cause de la pollution ! Si ce n'est pas eux qui prennent cette initiative, qui la prendra ?

–La société, monsieur, les associations, les patients, les consommateurs en général ! Nous sommes tous responsables de la situation que nous connaissons actuellement ! C'est à nous tous de prendre notre santé en main et de revendiquer notre droit à une vie plus saine et plus naturelle !

Activité 3, page 12

–Allô, l'entreprise Duval ?

–Allô, allô, pardon ? L'entreprise Duval !

Denise Lemaire à l'appareil.

–Je voudrais parler à, à…

–Excusez-moi, je vous entends très mal. Pouvez-vous parler plus fort, s'il vous plaît ?

–Oui, est-ce que M. Dupont est là, je vous prie ?

–Non, M. Dupont n'est pas là en ce moment.

–Il m'avait dit de lui téléphoner ce matin !

–C'est possible, mais je vous dis qu'il n'est pas là !

–Mais enfin, je… je devais absolument lui parler !

–Vous pouvez lui laisser un message, je le lui remettrai.

–Quand est-ce qu'il rentrera ?

–Je ne peux pas vous dire. Il a beaucoup de rendez-vous à l'extérieur en ce moment.

–Mais enfin, c'est inacceptable !

–Ce n'est pas la peine de vous fâcher, monsieur ! M. Dupont vous contactera le plus vite possible !

–Je tiens à parler avec lui, sinon avec le chef de service !

–Je vous dis que M. Dupont n'est pas là et le chef de service non plus.

–Je suis extrêmement déçu par les services qu'offre votre entreprise !

–Écoutez, monsieur, je vous passe un collègue de M. Dupont. Il connaît peut-être son emploi du temps… attendez, ne raccrochez pas !

UNITÉ 1 : « À cœur ouvert »

LEÇON 1

SITUATIONS

Activité 1, page 14

–Eh oui, c'est la fin du mois d'août, la grande rentrée… la période où un vent de déprime s'installe chez certains… Pour la plupart d'entre nous, pour ceux qui ont la chance d'en avoir, tout au moins, c'est le retour au boulot et… au stress qui, hélas, l'accompagne… Pour les familles, c'est la rentrée des classes, avec une mauvaise surprise : celle de la hausse des prix… beaucoup craignent la grisaille, la pollution, les embrouilles inévitables… d'autres, la routine et l'ennui, les courses de la semaine dans les grandes surfaces bondées… et puis… ce n'est pas évident de penser aux prochaines vacances alors qu'on nous prédit un automne « chaud » en revendications sociales et que les grèves des transports menacent de reprendre…

Alors pour vous aider à garder la pêche, - à vous qui faites un effort pour rester optimistes - et pour la redonner à ceux qui l'ont déjà perdue, nous avons décidé de parler aujourd'hui de temps libre et de loisirs… car enfin, il reste les week-ends,

les jours fériés, les ponts, les soirées même, et il ne tient qu'à vous d'en faire de vrais moments de fête…

Et, avant de commencer à débattre sur ce thème, pour savoir de ces deux états d'esprit, pessimisme ou optimisme, lequel est le plus généralisé, nous avons mené ce matin une petite enquête dans Paris et sa banlieue. Alors nous vous proposons d'écouter maintenant quelques réponses… Évidemment, la première chose qui nous intéressait était de savoir : « Disposez-vous de temps libre pour vos loisirs ? »

Alors là, pratiquement toutes les personnes interviewées ont répondu affirmativement. Voici quelques réactions au hasard :

–Oui, le week-end.

–Pas beaucoup, mais j'essaie.

–Oui, je considère que oui.

–Oui, je prends le temps.

–Alors on est allés un peu plus loin : « À quoi consacrez-vous ce temps libre ? » Là, les réponses ont été un peu plus variées :

–Heu, un peu à tout, sauf le sport : les sorties, le ciné, le restaurant, euh… les activités manuelles aussi… ah oui, et bien sûr, la lecture aussi.

–Ben, je dirais surtout la lecture, des sorties diverses et la télé, bien sûr.

–Moi, c'est la musique, les sorties entre amis et des petites escapades le week-end…

–Vous savez que les sociologues parlent de la règle des trois « D » en ce qui concerne les loisirs, alors nous avons donc posé la question au cours de notre enquête : « Est-ce que vous estimez que vos loisirs suivent la règle des trois « D », autrement dit, *diversion, détente et développement* ? »

On nous a répondu :

–Alors, *détente* oui… *divertissement*…, ben ça dépend mais… oui et *développement*… vous voulez dire *développement intellectuel* ? Alors là non, pas vraiment.

–Ben oui, je dirais que oui.

–Ben, *détente* et *divertissement* oui… après, tout dépend de ce qu'on entend par *développement*.

–Enfin, pour terminer cette enquête on a demandé à ces personnes : « Et lequel de ces adjectifs correspond, selon vous, à votre temps de loisir : *suffisant, insuffisant, essentiel* ou *superflu* ? »

Les réponses sont toujours les mêmes. En voici deux, elles ne laissent aucun doute :

–Eh ben, je dirais *essentiel* et, pourquoi pas, *insuffisant*.

–Eh bien moi, je dirais : *essentiel* et *insuffisant*.

–Vous voyez, dans le fond, la vie n'est pas si dure… tout le monde a des loisirs, même si on estime qu'ils sont insuffisants. Alors, parce qu'il faut bien être positif et voir la vie en rose…, j'invite celles et ceux qui sont contents de retrouver leur vie de tous les jours à se manifester et à nous expliquer pourquoi.

Pour cela, ils peuvent nous appeler au standard ou nous envoyer un mèl. Je rappelle que notre adresse se trouve sur le site www.radiojour.com.

Activité 1, page 15

–Eh, qui est-ce qui a vu mon bandeau ? Je ne le trouve plus.

–Ben, il doit bien être quelque part, t'as regardé dans la salle, et dans les douches ?

–Ah non, je vais aller voir, vous m'attendez, hein ?

–Oui, oui, vas-y.

Alors, Audrey, comment tu te sens ? Comment t'as trouvé le cours ?

–Ça va, demain j'aurai peut-être des courbatures, mais ça m'a plu,… oui beaucoup.

–Ah, j'en étais sûre, je te connais !

–Oui, la prof, elle a pas l'air mal, j'aime bien son style, plutôt dynamique, non ?

–Plutôt, oui ! En général, elle laisse rien passer, mais d'un autre côté, elle fait gaffe à ce qu'on fait et elle sait nous corriger. Alors, tu vas t'inscrire ?

–Ben, mon atelier de maquillage théâtre, il dure encore trois semaines et c'est géant ! Mais après, à partir du mois prochain, oui, je m'inscrirai.

–Super ! Depuis le temps qu'on t'en parle ! À propos, vous avez regardé le reportage, l'autre jour à la télé sur l'aérobic, c'était bien fait !

–Ouais, j'ai trouvé ça pas mal, mais quand on regarde ça, on a l'impression que n'importe qui peut y arriver, mais c'est pas vrai ! Regarde, moi aujourd'hui…

–Oui, mais tu dis ça parce que tu commences. Moi je pense que c'est faisable, à notre niveau à nous.

–J'suis pas tout à fait d'accord avec toi, Cynthia… et puis ici on fait des mouvements pas évidents. Moi, il y a des fois où, le lendemain, j'ai mal partout.

–Oui, mais ce que t'oublies de dire, c'est que t'arrives souvent en retard et que la plupart du temps, tu rates la moitié des échauffements. C'est normal que tes muscles, ils forcent un peu.

–Ah ! Tu parles comme la prof !

–Oui, mais elle a pas tort. Si les pros, quand ils s'entraînent, ils commencent par s'échauffer, c'est pas pour rien ! Et toi, Cynthia, les enchaînements de l'émission, tu crois que tu peux arriver à les faire ?

–Oui, presque tous. Il y en a certains qui sont plus durs que d'autres, mais la souplesse, ça se travaille.

–Mais c'est pas seulement une question de mouvements. T'oublies le rythme, la synchro, elles étaient toutes parfaitement synchronisées, l'autre jour. Nous, on en est loin.

–Je te dis pas le contraire mais j'insiste « quand on veut, on peut ». Nous, à mon avis, on a fait pas mal de progrès depuis six mois, ça se sent et ça se voit…

–Moi, de toute façon, je ne sais pas si ça m'intéresse. Pour moi, il y a d'autres choses dans la vie… les sorties, les copains, les chats.

–C'est vrai. Au fait, ça tient toujours la sortie cinoche d'après-demain ? Tiens, revoilà Maud. Alors, ton bandeau ?

–Il avait glissé derrière le banc. On y va ?

LEÇON 2

SITUATIONS

Activité 1, page 24

–Je suis née en 1917 dans une famille nombreuse de sept enfants. Nous habitions à la campagne, mes parents avaient une boulangerie. Je suis née à la fin de la guerre, celle de 14. Mon frère aîné venait d'y mourir, mon deuxième frère avait été fait prisonnier. Vous savez, je crois bien que ce qui a le plus marqué mon enfance, c'est la guerre. Je suis allée à l'école communale de mon village. Ça ne vous étonnera pas si je vous dis qu'il n'y avait presque rien à faire en dehors de la classe… heureusement, j'adorais lire. À 12 ans, je suis partie au collège, pas très loin de chez moi, j'espérais devenir institutrice. Après, j'ai passé mon brevet et j'ai été reçue au concours de l'École normale. Mais là-dessus je me suis mariée et je suis allée m'installer à Bordeaux parce que mon mari travaillait à l'aéroport de Bordeaux-Mérignac.

De cette période, je me rappelle surtout notre immense joie quand il y a eu les premiers congés payés ; pour la première fois, nous sommes allés passer des vacances - deux semaines - à la mer… C'était merveilleux !

J'avais vraiment eu l'intention de me mettre à travailler après mon mariage mais voilà, mon mari tenait à ce que sa femme reste à la maison. Et en plus, il préparait un concours de chef de centre de radio pour l'aviation civile, alors j'ai décidé d'attendre… Il a été reçu mais, immédiatement après, je suis tombée enceinte et après ça, la guerre a éclaté. En 1940, mon mari a été réquisitionné et nommé à Tunis. Alors nous sommes partis là-bas avec ma fille et nous y avons passé quatre ans, sous l'occupation italienne. La Tunisie était vraiment un très beau pays, nous habitions dans le golfe de Carthage. C'était magnifique et la vie aurait été très belle s'il n'y avait pas eu la guerre. Il n'y avait presque rien à manger, ni lait, ni beurre, ni pâtes, ni riz…

À ce moment-là, j'attendais ma deuxième fille, qui est née en août 43, sous les bombardements. Le jour de l'accouchement, c'est une sage-femme italienne, que mon mari avait fini par localiser, qui a bien voulu venir à la maison.

Ce qui est sûr, c'est que nos voisins italiens et arabes nous ont beaucoup aidés. Ils nous procuraient de la semoule, du pain ou du charbon auxquels, Français, nous n'avions pas droit. Dès la fin de la guerre, en mai 45, je suis rentrée avec mes deux enfants chez mes parents. Mon mari devait rester là-bas six mois de plus. Il fallait repartir à zéro en France - nous avions abandonné le peu que nous avions pour pouvoir rentrer en avion - et ça n'a pas été très facile au début. C'était pas évident, comme vous le savez sans doute, de trouver où se loger après la guerre ni d'avoir de quoi manger. Peu à peu, tout est rentré dans l'ordre, les enfants ont grandi et puis les premiers équipements ménagers sont arrivés. Je me souviens, j'ai eu ma première machine à laver en 1951, ainsi que notre première voiture… C'était formidable ! Pour moi, le temps avait passé, tout avait changé, y compris les diplômes, alors je suis restée femme au foyer !

Ce qui m'a le plus marquée ? Les changements politiques et sociaux : le droit de vote des femmes (dont j'étais très fière), les allocations familiales, la sécurité sociale et plus tard, le droit d'avoir un chéquier avec les deux signatures, celles de l'homme et de la femme.

Mais j'avais quand même besoin d'activité intellectuelle, alors à 40 ans, j'ai ouvert une petite bibliothèque privée qui marchait très bien. Vous savez, il n'y avait pas encore de bibliothèque municipale. Plus tard, quand mon mari a pris sa retraite, à 61 ans, nous avons pu commencer à voyager et mon mari et moi, nous nous sommes inscrits à des cours à l'université du Troisième âge ; lui, il s'est passionné pour l'informatique et moi pour l'espagnol, l'histoire et la graphologie. La vie à ce moment-là était devenue plus facile et nous en avons vraiment beaucoup profité pendant 15 ans.

Je crois que ces années ont été les plus belles de ma vie, celles auxquelles je repense toujours quand je me sens un peu trop vieille.

COMPÉTENCES

Activité 1, page 32

–Bon, la fidélité est possible. Est-ce qu'elle rime avec amour ? Non ! l'amour, c'est vraiment trop grand et trop vaste pour dire que c'est synonyme de fidélité ou de jalousie ou quoi que soit ! C'est-à-dire que c'est pas parce qu'on est infidèle qu'on aime moins ni parce qu'on est fidèle qu'on aime plus ! Donc, ça n'a rien à voir, l'un n'a rien à voir avec l'autre.

–La fidélité possible, certainement. Ça

dépend pour qui, ça dépend à quel âge… Est-ce qu'elle rime avec amour ? Euh moi je connais des fidélités qui ont rimé sans amour, et là c'est grave, ça devient un devoir, c'est… Je reviens à ce qu'on disait tout à l'heure, à propos de… à propos de l'honnêteté : faut-il être sincère avec son petit ami ou son mari ? J'ai une amie dont le mari aime beaucoup les femmes… les femmes… bon, elle sait qu'il est comme ça, mais ce qui lui fait mal, c'est quand elle voit traîner des bagues qui ne sont pas à elle, des petits mots qui lui sont adressés à lui mais qu'elle n'a pas écrits, ça, ça fait mal, alors… c'est pas tellement la fidélité ou l'infidélité, c'est surtout comment… comment on l'accompagne, comment… comment on la vit et comment on la fait vivre à l'autre aussi.

– Je ne crois pas à la fidélité, la fidélité… L'homme n'est pas fait pour une seule femme ou la femme pour un seul homme, si… sinon, en fait euh, c'est nier une partie de la vie, nier des rencontres possibles, nier beaucoup de choses. Maintenant, bien sûr, on peut choisir et décider d'être fidèle.

–Bon, ben ça c'est déjà dans l'ordre de la spéculation, alors on va dire qu'on peut vraiment faire ce qu'on veut, mais vaut mieux dire la vérité ou alors, bon, mettre les choses sur une balance et savoir ce qu'on veut. Si on dit la vérité, il faut… il faut courir avec elle.

–Il vaut mieux être prudent, là j'ai même pas envie de prendre mon temps avant de répondre, c'est pas la peine de faire mal gratuitement, non je pense qu'il vaut mieux être prudent. Il y a un proverbe qui dit : « La vérité est une flèche qu'il faut savoir tremper dans le miel avant de la lancer. »

–Je pense qu'en fait, la vérité reste, malgré tout, la chose la plus importante. La prudence ? Certains politiciens vont vous dire aujourd'hui que par prudence ils mentent à la population. Que voulez-vous que je vous réponde ?

UNITÉ 2 : « Tout yeux, tout oreilles »

LEÇON 3

SITUATIONS

Activité 1, page 38

1) –Journée de mobilisation générale aujourd'hui contre la réforme des retraites. Des milliers de manifestants dans les rues de centaines de villes en France, plus d'1 500 000 selon les syndicats, 800 000 selon la police. La participation a été massive à Paris, Toulouse et Marseille. 70 villes ont été touchées par les grèves. Le point dans un instant et entretien à la fin de ce journal avec un délégué syndical de la CGT.

2) –Le groupe Vivendi Universal vient d'annoncer la suppression d'emplois dans ses sièges de Paris et New York. Les réactions ne se sont pas fait attendre. Plus de détails dans notre bulletin de 20 heures.

3) –« Oui à l'Europe, non au projet Fischer », c'est ce que l'on a pu entendre aujourd'hui dans quatre villes de France et de Belgique où plus de 20 000 agriculteurs se sont rassemblés pour manifester à nouveau contre la réforme de la PAC, annoncée il y a cinq mois. Ici, Saint-Étienne :
–On veut nous mettre en concurrence avec les entreprises. C'est non ! Et un non catégorique ! Il n'y a pas d'agriculteur qui peut tenir à cette allure-là !…

Activité 1, page 39

–Ah, Papa, t'as reçu un coup de téléphone y a à peine dix minutes, tu venais juste de descendre, de Jacques, des Camions du Cœur…
–Ah, Jacques, qu'est-ce qu'il t'a dit ?
–Que vous démarrez une demi-heure plus tôt aujourd'hui, il t'expliquera ça…
–Ah bon, ben d'accord, merci.
–Mais, c'est quoi cette histoire de Camions du Cœur. Et Jacques, c'est qui ?
–Ben, je me suis engagé comme bénévole aux Camions du Cœur…
–Ça alors ! Comme ça ! Et tu nous as rien dit !
–Oh écoute, ma petite Manou, ça fait trois, mois que tu viens pas me voir. Ah, ça te surprend, mon histoire de bénévole, hein ! Viens t'asseoir, va ! Je vais t'expliquer… c'est à cause de René, en fait, que je me suis embarqué là-dedans…
–René, c'est celui qui travaillait avec toi ?
–Oui, René mon pote d'atelier, tu t'en souviens ? En fait, trois mois après mon départ à la retraite… (oh, je crois que je suis parti au bon moment, tu sais), ben on leur a annoncé dans la boîte qu'il y avait une restructuration de certains secteurs et René, ben, il a quoi ? 5 ans de moins que moi, il faisait partie des gens qu'on mettait à la retraite anticipée. Ça a été un sacré coup pour lui. Il paniquait, quoi, à 56 ans ou presque !
–Ouais, c'est pas marrant !
–Ça doit être dur à vivre, hein… René, je le reconnaissais plus, on s'était battus pour le boulot, pour les conditions de travail et tout mais là, rien à faire ! Quand t'as un pote comme René qui déprime, tu le laisses pas tomber comme ça, alors je me suis remué et puis j'ai trouvé…
–Ah oui ! Et quoi ?
–Un petit boulot de gardiennage et ça a marché.

–C'est chic de ta part, mais où est le rapport avec ton histoire de bénévolat ?
–Attends ! Moi, du coup, j'ai pensé que je pouvais peut-être me sentir utile moi aussi et alors je me suis décidé pour les Restos du Cœur. Coluche, c'était un type bien ! À leur permanence, j'ai rencontré des responsables. Et puis ça tombait très bien, il leur fallait un bénévole pour les Camions du Cœur, c'est comme les Restos mais tu te déplaces, c'était trois fois par semaine… Moi j'étais partant, alors j'ai accepté.
–En fait, ça m'étonne pas trop de toi, je dois dire, mais pourquoi tu nous l'avais pas dit ?
–Écoute, toi et tes frères, vous avez votre vie alors pourquoi j'aurais pas la mienne. Je te jure que depuis que je fais l'accompagnateur, j'y trouve mon compte. Tu sais, on nous en envoie, des gens dans des situations critiques ! Alors s'ils se sentent pas complètement relégués, c'est énorme ! Franchement, moi ça me fait plaisir de les voir contents. Oh, et puis on forme une bonne équipe, avec Jacques, Annie et Mouloud…, les trois avec qui je tourne. Des fois c'est moi qui conduis, d'autres fois je sers… en gros c'est ça…

COMPÉTENCES

Activité 1, page 45

Soit, soit on donne du travail à tout le monde en mettant donc fin au chômage, on met fin au chômage, parce que ces cités sont les premières cités : c'est là où on trouve le plus grand nombre de chômeurs, hein, c'est ça qui est important hein… ; plus que partout ailleurs dans la ville, c'est sur ces territoires urbains de banlieue que l'on trouve le plus grand nombre de chômeurs, de stagiaires, de préretraités, euh… etc., etc. Bon, soit on donne du…, soit on met fin au chômage, on met fin au chômage donc en donnant du travail à tout le monde, et du travail en quantité suffisante, parce qu'imaginez quelqu'un qui ne travaille que trois heures ou quatre heures par jour, il pourra plus organiser son existence autour du travail, c'est bien ça, c'est bien ça le problème que pose la réduction du temps de travail, travail à mi-temps, etc., c'est bien le problème qu'il pose, le problème politique que ça pose. Donc il faut suffisamment de travail et que chacun travaille en quantité suffisante pour pouvoir perpétuer la civilisation du travail et donc l'intégration sociale. Ça, c'est la première solution. Mais comme dans nos sociétés nous sommes très loin de cette perspective-là et même, même la reprise d'une croissance, même la reprise d'une croissance à 3 % dans les sociétés occidentales ne donne pas de travail à tout le monde en quantité suffisante, alors il reste une autre solution, c'est-à-dire, changeons de grand intégrateur, eh bien faisons en sorte que ce ne soit plus le travail qui intègre. Mais aujourd'hui à l'horizon ne se pointe aucun grand intégrateur. On ne sait pas quel va être le grand intégrateur.

LEÇON 4

SITUATIONS

Activité 1, page 48

—Sur ces premiers accords de la chanson de Boris Vian, on écoute aujourd'hui la boîte vocale de « Prêts à en discuter ? ». Vous avez été très nombreux à nous laisser des messages et on va tout de suite écouter quelques réactions des 18-25 ans sur le thème du jour, qui, je vous le rappelle, est la politique.
—Oui, moi c'est Stéphane, alors je veux dire que la politique c'est un grand mot mais si on veut que les choses bougent dans la société, il faut bouger avec. L'engagement politique, moi j'y crois, mais bon, peut-être pas à la manière traditionnelle comme militer dans un parti. Y a d'autres moyens, moi par exemple, je fais partie d'une assoc' pour la défense des droits civiques.
—Moi, la politique ça ne m'intéresse pas, ça me parle pas, les hommes politiques ! Tous des bouffons ! Allez, salut !
—Tu veux savoir quoi ? La politique, ça me faisait ni chaud ni froid, mais j'ai pas pu voter aux dernières élections présidentielles quand il fallait barrer la route à l'extrême droite ; c'était trop tard pour m'inscrire sur les listes électorales, j'ai vraiment regretté, alors maintenant oui, c'est fait, je suis inscrit.
—Y a une chose que je voudrais dire : on nous reproche souvent à nous les jeunes de ne pas être branchés politique et qu'on s'en fout, mais c'est pas vrai. Faut voir dans les manifs, dans les ONG si on n'y est pas ! Notre génération… elle les voit comme tout le monde, les effets de la mondialisation, alors faut faire quoi ? Et puis vous, les adultes, je vous pose la question : vous vous impliquez, vous ?
—C'était un petit aperçu sur une question qui tombe à point puisqu'on va rejoindre Mylène, qui se livre à une petite enquête dans la rue. Mylène, vous m'entendez ?
—Oui, avec moi trois personnes qui veulent bien répondre à mes questions. C'est parti pour la première question : « Est-ce que vous appartenez à un parti politique, à un syndicat ou à une association ? Si oui, lequel ou laquelle et sinon, pourquoi ? »
—Eh bien non, de toute façon je n'ai pas le temps et ça ne m'intéresse pas.
—Et vous, messieurs ?
—Non, l'occasion ne s'est jamais présentée.

—Non, je crois par manque de temps. Sinon oui, je m'impliquerais plus dans la vie associative.
—Et votez-vous régulièrement aux élections, qu'elles soient présidentielles, municipales ou régionales ?
—Oui, toujours, parce que je considère que c'est important.
—Oui, en général. Enfin, surtout aux présidentielles. Aux dernières municipales, par exemple, je n'ai pas voté parce que je n'étais pas là. Disons que ça dépend, ça dépend de l'importance de l'élection.
—Oui, en général, sauf que parfois ça m'arrive de ne pas voter quand je ne suis pas directement concernée.
—Pensez-vous qu'il est important de suivre et même de participer à la vie politique de votre pays ?
—Oui, ça me paraît essentiel.
—Et sous quelle forme ?
—Par le vote, les manifestations, les grèves.
—Participer, ça me paraît important mais je ne le fais pas. Suivre oui, bien sûr, en lisant des journaux, en suivant les infos.
—Moi, je m'impliquerais plutôt dans une association que dans un parti politique, je ne suis pas sûr d'y trouver ma place, c'est un milieu qui ne me conviendrait pas.
—Alors pour conclure, qu'est-ce qui symbolise le mieux la République française pour vous ?
—Ses institutions.
—Ouais, moi aussi.
—Oh là là, les grands mots… Vous n'avez pas plus simple, comme question ?
—Eh bien, merci Mylène. Quant à nous, nous continuons avec un appel en direct…

Activité 2, page 49

—Bonjour à tous ! Nous sommes heureux d'inaugurer aujourd'hui les troisièmes journées de réflexion sur la démocratie participative, organisées à l'initiative de la mairie de Bobigny. Alors, nous avons plusieurs invités : madame Renée Huguet, membre du conseil municipal de la commune de Gradignan, monsieur Frédéric Lamarque, chercheur au CNRS et monsieur… Yves Michel, de l'association Attac, qui remplace madame Odile Levallois, souffrante. Nous regrettons d'ailleurs vivement que madame Levallois n'ait pas pu se joindre à nous.
Alors tous les trois, vous allez débattre sur le thème du budget participatif… Pas d'intervention initiale ; nous préférons, puisque vous avez tous des parcours professionnels et politiques vraiment différents, que vous entriez tout de suite dans le vif du sujet. Je vous demande également, afin que le débat soit plus vivant, d'être très brefs dans vos interventions. Eh bien, je donne maintenant la parole à Yves Michel.
—Alors, quoi dire tout d'abord ? Eh bien, je

suis très heureux d'intervenir sur un sujet qui me tient à cœur depuis très longtemps et d'être confronté, pour ainsi dire, à des personnes que je connais très bien et que j'estime, même si nous ne partageons pas toujours les mêmes idées en matière de politique…
Alors pour commencer, je… je voudrais que nous revenions sur le principe démocratique à la base du budget participatif : faire participer le plus possible les citoyens à la vie politique. Le budget participatif est né, vous le savez, au Brésil, à… Porto Alegre, pour être plus précis… de la ténacité de quelques dirigeants politiques qui exigeaient la création d'un minimum d'infrastructures. Alors, municipalité et population en sont venues à travailler main dans la main et il est indéniable que cela a permis, d'une part de rentabiliser au maximum le budget municipal et d'autre part, de mobiliser toute la population, y compris celle des faubourgs les plus démunis.
—Attendez, je vois où vous voulez en venir et pour ma part, je ne crois pas du tout qu'on puisse comparer la réalité d'une ville comme Porto…
—Écoutez madame, laissez-moi finir, s'il vous plaît… Il est bien évident qu'il y a une différence entre le Brésil et la France, mais est-ce que ça signifie qu'une participation directe des citoyens est impossible en politique, sur notre vieux continent ?
—Si vous le permettez… je crois euh… qu'il faudrait d'emblée que nous précisions deux choses : la première, c'est que la gestion participative permet de décider, d'une manière totalement démocratique et transparente, à quoi va servir le budget municipal - et ça, c'est important, il s'agit de l'argent du contribuable - ; et la deuxième, c'est qu'il ne s'agit pas seulement de décider des grands projets d'urbanisme, mais aussi des manifestations culturelles et de l'infrastructure des services sociaux, bref : toute la vie de la municipalité.
—Eh bien, justement, parlons-en ! Je ne suis pas d'avis qu'il faille toujours tout négocier à tous les niveaux, bien que je croie en la démocratie. Je pense que c'est une perte de temps et d'énergie… Il est à mon avis impossible - voire peu souhaitable - que toutes les décisions soient prises collectivement ; et d'ailleurs, il est probable que ces décisions n'auront qu'une valeur relative si les citoyens n'ont pas les connaissances et les informations suffisantes.
—Mais, voyons madame, soyez sérieuse, ne me faites pas dire ce que je n'ai pas dit ! Euh… je parle d'établir, de créer des rapports directs entre les municipalités et les citoyens et ainsi, d'établir les besoins, de fixer les priorités en tenant compte des souhaits de tous.

COMPÉTENCES

Activité 1, page 56

C'est l'histoire d'un général, un homme sombre, à la peau dure, couverte de cicatrices. Ce général avait lancé son armée contre tous les pays voisins. Il les avait tous ravagés, mais il avait encore besoin d'or pour couvrir ses soldats de décorations. Alors il les a lancés contre le dernier petit royaume qui restait. Un petit royaume que personne ne connaissait vraiment.

Un matin, le tonnerre a grondé dans les collines, l'armée s'est mise en marche, elle s'est répandue sur les crêtes qui faisaient la frontière du petit royaume, elle a formé comme une muraille hérissée de pointes et luisante d'acier. Un des soldats a quitté l'armée, il est descendu dans la vallée, il a traversé la vallée jusqu'à la capitale, la capitale jusqu'au palais du roi et d'une petite voix métallique il a dit au roi : « Demain, à l'heure de grand soleil, vous nous donnerez tout l'or de votre royaume. Si vous acceptez, nous vous laisserons en paix. Si vous refusez, nous détruisons votre royaume et nous prenons quand même votre or. » Puis il a claqué des talons et il a fait demi-tour. Il a retrouvé son armée. L'armée s'est installée pour passer la nuit et, le lendemain matin, quand le soleil s'est levé sur le petit royaume, quand le soleil est passé derrière la muraille hérissée de pointes et luisante d'acier, les soldats ont vu les habitants du petit royaume sortir de chez eux, tous à peu près à la même heure, et tous tenaient dans les mains le même objet : c'était un filet à papillons. Et pendant toute la matinée, les habitants du petit royaume ont chassé des papillons. Ils ont chassé des papillons partout où ils ont pu en trouver. Et vers midi, ils se sont rassemblés autour du palais du roi dans la capitale, et là c'était trop loin, les soldats ne pouvaient pas voir ce qui se passait.

Alors, à l'heure de grand soleil, qui était l'heure dite, l'armée s'est mise en marche. Le tonnerre a grondé à nouveau dans les collines. L'armée est descendue dans la vallée, elle a traversé la vallée jusqu'à la capitale, la capitale jusqu'au palais du roi. Toute la foule s'est écartée et tous les soldats sont entrés dans le palais du roi. Et d'un bout à l'autre de la grande salle du palais, le général, l'homme sombre à la peau dure couverte de cicatrices a parlé au roi : « Alors, est-ce que vous êtes prêt à nous donner votre or ? ». Le roi a fait un petit signe de la main et dans le sol de la grande salle, entre le général sombre et le roi, une trappe s'est ouverte. Et de cette trappe sont sortis des papillons, des milliers de papillons. Et tous ces papillons portaient sur les ailes de la poussière d'or. Et tous les papillons se sont envolés au milieu des soldats, ils se sont enroulés entre les soldats. Alors les soldats ont jeté leurs armes pour attraper cet or qui passait devant leurs yeux. Le roi a fait un autre signe de l'autre main, et les quelques soldats de sa garde personnelle sont sortis de derrière lui, ils ont entouré l'armée, ils ont ramassé les armes sur le sol, et ils ont arrêté tout le monde. L'armée du général s'est retrouvée tout entière enfermée dans une vieille prison, qui n'avait plus servi depuis longtemps. On l'a laissée là quelques années. Jusqu'au jour où ceux qui veillaient du haut des remparts de la prison ont vu le général, l'homme sombre à la peau dure couverte de cicatrices, courir de fleur en fleur derrière un papillon. Alors ce jour-là, on a ouvert les grandes portes de la prison. Les soldats sont sortis un par un, tranquillement, sont partis dans les collines et on ne les a plus jamais revus.

UNITÉ 3 : « La langue bien pendue »

LEÇON 5

SITUATIONS

Activité 2, page 63

–[…] Je ne sais pas raconter la France. Je vis en France, mes amis sont français. Pourquoi cet entêtement à raconter mon pays dans une langue qui n'est pas la mienne ? Et j'ai abouti à ce… à ce résultat : vivant dans mon pays, j'aurais fait des enfants, j'aurais fait la cuisine, j'aurais vécu. L'idée de raconter mon pays est venue avec l'exil. Vivant en France et mon pays meurtri, mon pays bombardé, mon pays déchiré, déchiqueté, je devais le raconter pour… c'était ma manière à moi de le faire vivre.

Quand les bombes pleuvaient sur Beyrouth, je me protégeais derrière la page blanche. C'était comme si j'étais derrière un mur qui me protégeait des bombardements. La page blanche était mon…, une armure, quelque part. Et puis je le racontais parce qu'il y avait, on parlait de 500 morts par jour, de 300 morts par jour […] donc, c'était ma manière de ressusciter tous ces gens […]. Alors j'ai restitué au pays réel fait d'arbres, de sources, de terre, un pays de papier […]. J'ai écrit les deux langues à la fois parce que la langue française ne me suffisait pas quand j'écrivais mes brouillons… j'arrivais comme ça avec la plume suspendue en l'air, le mot français ne suffisait pas à mon cœur. Alors j'écrivais en arabe ces mots qui me semblaient plus forts en arabe et mes brouillons étaient écrits dans les deux langues, l'une allant de droite à gauche, l'autre allant de gauche à droite ; elles se rencontraient au milieu de la page, au milieu de ma vie, au milieu de mon cœur…

–[…] Il se trouve qu'il m'a été donné d'écrire en français mais j'ai une conscience très aiguë, je crois, du fait que ça aurait pu être une autre langue, par des hasards familiaux, géographiques, historiques, politiques, etc., comme tout un chacun. Mais j'ai été située dans un endroit du monde où on parlait trois langues : le français mais aussi l'espagnol et le basque et, *stricto sensu,* ma langue maternelle, c'est le basque, c'était la langue de ma mère, mais moi j'ai parlé français et je me suis mise à écrire dans cette langue qui était la langue de l'école et c'est, c'est tout de suite dans cette langue que je, que j'ai abordé la littérature, disons. Mais j'ai cette conscience très, disons, particulière oui, que c'est pas un état de nature, le français. Je le parle pas, je l'écris encore moins sans y penser. Quand je l'écris, je sais dans quelle langue je parle et je sais quelles sont ses contraintes, à cette langue, et je sais que, par exemple, le français a des faiblesses sur le plan des pronoms personnels, par exemple, ou que sa construction avec les relatives est beaucoup moins rigolote que, par exemple, en basque ou que… il va être, sur certains domaines plus précis que l'anglais, sur d'autres, moins ; bon je sais pas, je sais quel matériau je manipule, bon.

–[…] On est coincés entre les deux pays qui se sont fait trois guerres, qui ont, qui sont à l'origine de, des grands bouleversements euh… du XXe siècle et l'Alsace était un enjeu entre ces deux puissances évidemment et la question linguistique a continuellement été faussée par ces guerres nationalistes.
Ça a commencé en 1870. En 1870, donc, nous sommes français depuis fort longtemps. Euh… la Prusse gagne la guerre de 70 : l'Alsace devient allemande. En 1914-18, la France gagne la Première Guerre mondiale : l'Alsace redevient française. En 1940, c'est la débâcle : l'Alsace est annexée de plein droit par le Reich nazi. En 1945, on redevient français. Il faut vous dire que, par exemple, nos parents qui sont nés avant 1914, sont nés allemands, sont devenus français, sont redevenus allemands et sont redevenus français. Ça, c'est l'histoire de nos parents. Alors c'est vrai que, si c'était simplement des changements de nationalités, en nous disant comme disaient les rois de France avant la révolution ou comme disait Napoléon « pourvu que vous sabriez pour nous et que vous alliez vous battre pour nous », ça serait simple ; mais là, au XIXe et au XXe siècles, les enjeux nationalistes sont étroitement liés aux enjeux linguistiques. Par exemple, en 1870, lorsque nous sommes devenus allemands,

il était interdit… le français n'était plus enseigné, c'était plus possible, on nous l'a interdit. Donc, cette annexion forcée de 1870, ça a été, sur le plan culturel, une cassure énorme…

LEÇON 6

SITUATIONS

Activité 1, page 73

–« Vert-lumière » de Pedro Sauri. C'est à presque 85 ans que ce géant de la peinture présente au musée des Beaux-Arts ses derniers tableaux, huiles ou acryliques sur toile. Avant d'avoir visité cette exposition, avant même son inauguration, nous avons demandé à monsieur Sauri un court entretien. En effet, nous avons tenu à le rencontrer avant que le tourbillon du vernissage et des actes d'inauguration, ne le rende plus inaccessible que de coutume.
Pedro Sauri, « Vert-lumière », est-ce vous qui avez choisi le titre de cette exposition ?
–Oui, oui, bien sûr ! Et cependant je reconnais qu'il n'y a pas beaucoup de lumière dans mes œuvres… C'est à la lumière que je pense, c'est elle que je tente de capter et de traduire au travers des couleurs tandis que je peins et pourtant, comme il est difficile de la refléter, de la faire surgir de la toile dans toutes ses nuances !
–Pourquoi, selon vous, le spectateur d'une œuvre comme la vôtre est-il saisi, ému, bouleversé ?
–C'est évidemment aux spectateurs de le dire… Moi, ce ne sont que des sensations que je peux vous transmettre, à peine quelques réflexions… mais vous savez, contrairement à ce que l'on imagine souvent, l'émotion qui émerge peu à peu chez le spectateur lorsqu'il regarde un tableau, en fait, à quoi est-elle due ? au tableau, oui bien sûr ! mais aussi, j'en suis convaincu, au hasard. Mais oui, bien que le peintre soit génial… malgré les centaines et centaines d'heures occupées à reprendre, à retoucher son tableau, le succès n'est quand même jamais assuré. Ce sont trois éléments différents qui font le succès : l'homme qui a peint, l'objet, la chose produite, et l'homme qui la regarde. C'est ce rapport entre ces trois éléments qui finalement crée la rencontre, l'émotion, qui fait que l'on parle d'œuvre d'art.
–Parlons de vos tableaux de demain… On dit qu'avant même qu'une exposition ne soit inaugurée, vous êtes déjà en train de préparer la suivante. Est-ce bien vrai ? Comment expliquez-vous une activité créatrice si intense à un âge où, tout de même, vous pourriez songer à vous reposer ?
–Me reposer, c'est bien impossible ! Sitôt

mes toiles remises pour une exposition, je ressens un étrange sentiment de mutilation, difficile à vivre… Après que mon atelier a été vidé de tout ce qui a formé mon univers pendant des mois, voire des années, il n'y a plus en moi qu'un manque, qu'un vide immense mais aussi, parallèlement, une nouvelle naissance, un énorme besoin de renouveau… le désir de peindre est là, très fort, même si je ne sais pas encore où il va me conduire. Vous savez, le processus de création est un peu mystérieux et parfois… extrêmement lent.
–Pedro Sauri, au musée des Beaux-Arts de Bordeaux, jusqu'au 15 février, avant que ne commence au printemps et dans ce même musée, l'exposition de son œuvre gravée.

COMPÉTENCES

Activité 2, page 80

–[…] Heu, donc, on dira que… que les arts dont nous avons vu quelques manifestations, ces arts de la rue dont nous avons vu quelques manifestations ont une date de naissance. Ils ont une date de naissance qui est euh, en gros euh… à quelques années près, le début des années 70. Euh… alors ils ont une date de naissance parce que… il y a un moment où ils ont pris un nom, ils ont pris un nom, ils se sont donnés collectivement un nom et ce nom, c'est le nom d'« arts de la rue » ; c'est-à-dire qu'ils se sont reconnus comme mouvement et comme… comme manifestation singulière à travers le fait de se dénommer collectivement « arts de la rue ». Alors, bien entendu, ces manifestations quand on les observe, je dirais de manière assez rapide comme ça euh… ont un certain nombre de caractéristiques, des caractéristiques festives, des caractéristiques formelles, hein, un langage formel esthétique qui peut faire penser à toute une série de manifestations qui existent finalement depuis assez longtemps, hein euh… voire depuis le Moyen Âge, par exemple : on pense notamment aux pantomimes, aux bateleurs, aux saltimbanques qui se manifestaient autour des foires et aussi sur les parvis des églises ; on pense un peu plus tard, au XIXᵉ siècle, à toutes les manifestations qu'il pouvait y avoir notamment à Paris, autour du fameux boulevard du crime, hein, avec… avec effectivement tous les tréteaux, les funambules, les enfants de la balle, etc., enfin, tout ce qui a été si bien décrit dans le film de Carné *Les enfants du paradis*. Euh… donc, on peut aussi repérer des manifestations de ce genre à travers ce qui se passait en particulier au début du siècle autour des foires, je pense en

particulier à la foire du Trône, à Paris. Mais en gros, on avait l'impression que ces manifestations tendaient à disparaître, heu, en particulier vers la fin, enfin la…, vers… vers les…, à partir des années 30, elles commençaient à disparaître un petit peu et elles étaient complètement absentes dans la… dans le début de la seconde partie de notre siècle ; et voici que dans les années 70, elles paraissent resurgir et elles paraissent resurgir relativement massivement et rapidement ; alors pour donner quelques petits éléments, comme ça, de cadrage de cette idée, on identifie aujourd'hui en France environ 1 500 troupes ou artistes qui se regroupent sur ce vocable, donc c'est quand même une manifestation euh, euh… relativement conséquente, hein. […]
Alors, quelles sont les caractéristiques, pour en terminer sur le caractère descriptif de ces manifestations, quelles sont leurs principales caractéristiques ? Alors je dirais que, d'abord euh, la caractéristique principale, c'est la gratuité apparente du spectacle. Quand je dis la gratuité apparente du spectacle, c'est que tout simplement ça coûte très cher ; mais c'est pas nous qui payons directement, y a pas de billetterie. Euh… deuxièmement, le fait d'utiliser de manière quasiment systématique le cadre urbain comme scène et, en particulier, la plupart du temps, à l'extérieur des lieux consacrés classiquement à l'expression culturelle : la rue.

PROJET

Activité 1, page 85

Je vivais dans le Nord, une région en crise, en pleine mutation économique et sociale, et je n'étais pas du tout satisfait de la façon dont on racontait cette actualité. Je me sentais de moins en moins correspondant, et de plus en plus vautour. J'étais pigiste, il faut voir aussi que plus je faisais de sujets, plus je gagnais. Plus je faisais de petites filles violées, plus je gagnais ma vie. Cela devenait pour moi intenable. […] Cette façon de favoriser le spectaculaire répond au discours d'un parti politique, d'une conception de la société. Les journalistes se prennent la tête pour savoir comment parler de Le Pen. Je me fous de savoir comment on parle de Le Pen. La question, c'est peut-être comment on parle de la société tout court. Comment on décrit le Nord-Pas-de-Calais, son chômage entre 20 et 35 %, cette région que le patronat du textile a désertée après y avoir fait des plus-values énormes pendant plus d'un siècle et demi, pour aller investir dans le Tiers monde. Il nous a laissé des populations exsangues, sans rien. On parle très peu de tout cela. Parce qu'on présuppose les goûts de l'opinion publique. Pourtant, le succès grandissant du *Monde*

Diplomatique, de Charlie Hebdo, d'Alternatives Économiques, montre qu'il y a un besoin d'autre chose. […] Les chaînes se font concurrence, mais on produit les mêmes informations partout. Où est le pluralisme, la liberté du téléspectateur ? On se fout de la gueule de l'URSS et de la façon de traiter l'information avant la chute du Mur, mais où on en est, nous ? L'information est complètement carcérale. […] Pour moi, l'uniformisation de l'information est la même à la radio et à la télé : exagération du fait divers et du spectaculaire, de l'intime et du pathos. C'est le : « Ah ! ton témoignage, il est fort ». […] On se retrouve avec seulement le témoignage, sans analyse. Du mec qui meurt de l'amiante, sans avoir idée de la logique économique qui se cache derrière le problème de l'amiante, cette logique qui privilégie le profit et pas l'homme. La presse écrite, même la presse quotidienne régionale, a plus de temps.
[…] À ce stade, défendre l'information est un acte politique. Il faut prendre le temps d'enquêter. Quand on parle du monde ouvrier qui vote Le Pen, dans des analyses primaires, est-ce qu'on gratte derrière, est-ce qu'on va chercher comment cela se fait ? […]. La bourse et les sociétés françaises font des bénéfices énormes, et on dit aux gens de se serrer la ceinture, avec toutes les conséquences que cela peut avoir. Les hommes au chômage s'alcoolisent, les familles explosent… Cela, il ne faut surtout pas le diffuser. Mais les conséquences - le Front National à 16 %, les violences urbaines -, c'est ce qui vend… Effectivement, à ce stade, on en arrive à un combat politique. Est-ce qu'on est des instruments ? C'est quand même la question fondamentale.

UNITÉ 4 : « Le marché en main »

LEÇON 7

SITUATIONS

Activité 2, page 91

–Bon, alors je vous raconte mon histoire de camionnette de glaces.
–Ah oui, raconte, raconte, alors…
–Ben j'étais avec mon copain de l'époque, mais on avait 18 ans, on venait à peine d'avoir le permis de conduire, donc on sait absolument pas conduire puisque que je l'ai eu, comme je t'ai raconté, dans une pochette-surprise et donc on a été engagés je sais plus comment, pour vendre des glaces dans une camionnette de glaces, une camionnette… comment est-ce que tu dis… ? Volkswagen ?
–Une Volkswagen, avec la petite musique, vous aviez la petite musique ? Ah… !!!
–Avec une petite musique, donc tu faisais… y avait une tournée dans les villages autour de Verviers puisque c'était

à Verviers.
–Ah, vous faisiez ça dans les villages ?
–Donc tu pars de Verviers et c'était la tournée des villages, alors quand t'arrivais à des endroits bien précis, tu faisais la petite musique *tou nou nou*… je sais plus comment c'était.
–T'attendais 10 min…
–Et t'attendais 10 min et puis les gens venaient : « cornets, galettes, petits pots, 1 boule, 2 boules, 3 boules » !
–Ça, c'est sympa, oh mon rêve !
–Il fallait faire les boules avec, tu sais… tremper dans l'eau, etc., mais ce qu'il y a, c'est que c'était une camionnette toute pourrie.
–Ah ouais… mais t'as pu goûter toutes les saveurs alors, tous les parfums ?
–Ouais non, moi je suis pas très « glaces » !
–Ah non ? Oh !!!
–Et la camionnette est toute pourrie. Comme on ne savait pas conduire, déjà quand on a dû tirer la camionnette de… de… bon de chez le marchand de glaces, on n'arrivait pas à faire la marche arrière dans le garage et on a fini par casser l'embrayage parce que… Un jour on est revenus sans embrayage, je sais plus comment on a fait, et… et moi je me sentais… je me sentais mal, etc., mais en fait sa camionnette était pourrie et il en a profité pour pas nous payer, donc on a eu tout un conflit avec lui, donc on était petits étudiants, pas sûrs de nous, etc. et euh… bon on a fait ça, je crois qu'il nous a payés une semaine et la deuxième semaine, on a cassé l'embrayage et puis le beau rêve de marchand de glaces est tombé à l'eau !
–… s'est évaporé, ah… C'est dommage, ça. Ça, j'aurais bien voulu faire, tiens, « marchand de glaces ».
–Pour manger des glaces ?
–Ah oui évidemment, m'en mettre plein la panse là, j'adorais ça, j'allais toujours chez Lany, à côté de chez…
–Mais au bout d'un… au bout d'un temps, t'es…
–T'es peut-être écœurée ?
–Ouais, t'es écœurée.
–Là où j'étais écœurée, c'était au Quick, quand j'ai travaillé un mois. J'ai travaillé un mois, j'avais dix… dix… dix-huit ans, je crois, oui dix-huit ans. C'était avant de partir en Angleterre.
–Non, j'ai fait ça trois mois, trois mois, l'horreur… Ouais ouais trois mois, ouais 4 heures par jour.
–C'était bien parce que c'était pendant l'heure du midi, alors il y avait plein de monde, j'étais à la caisse, je devais pas nettoyer les toilettes !
–C'était bien pour faire régime… ça doit, ça doit te couper l'appétit, non ?
–Ben surtout qu'avec 4 heures, on t'offrait un hamburger. Alors moi je me prenais toujours des… des… c'était quoi encore, des c'était pas de la glace, c'était des milk-

shakes. C'était très bon les milk-shakes, c'est ce qu'il y avait de meilleur ; le reste, c'était dégueulasse mais les milk-shakes, c'était bon.
–Ben moi j'ai travaillé aussi… j'ai aussi vendu des hamburgers, mais plus traditionnels, à la belge, dans des… dans des baraques à frites.
–Ah ! dans un fritekot ?
–Ah non, mais moi c'était à Verviers encore une fois, donc ça se dit pas « fritekot », c'était « baraque à frites ». Euh… alors, t'en avait une qui était fixe à la Baraque Michel, hein, dans les Fagnes, c'était une qui était fixe, alors là c'étaient les promeneurs et les voitures qui s'arrêtaient et puis alors, ah oui, c'est ce que je disais tout à l'heure, sur le circuit de Francorchamps, pour les 24 heures de Francorchamps. Et alors, pendant 24 heures on vendait des frites non-stop ; donc t'avais le grand bac tu vois, où tu mettais les frites dans les sachets mais c'était… c'est devenu un geste mécanique et j'avais toute la main coupée à force de… tu vois, une espèce de spatule…
–Ah oui, en métal.
–D'écumoire.
–Oui.
–En métal.
–Et euh… T'as les mains toutes coupées et puis une blessure qui ne guérissait pas avec le sel, etc.
–Ah ben dis donc, t'as eu de la chance toi avec tes jobs !
–Oui enfin bon, j'exagère un peu, mais c'est vrai qu'on n'arrêtait pas, 24 heures, et puis de temps en temps, tu te reposais une heure sur un lit de camp qu'ils avaient mis à côté…
–Ah, l'horreur.
–Et ils nous payaient à peu près le prix normal, avec un petit… une petite prime en plus !
–Eh ben dis donc, sans contrat, sans rien ?
–Sans contrat, sans rien, étudiant !
–Au noir.
–Oui, au noir, et ils se faisaient un fric ! Ils se remplissaient les poches, hein.

COMPÉTENCES

Activité 1, page 97

–Est-ce que vous avez toujours fait le même travail ? Non. Vous avez commencé petit et vous avez terminé officier, non ?
–Oui.
–Alors, quelles ont été les étapes et est-ce qu'il y a eu des moments plus marquants que d'autres ou… ?
–Oui, certainement, bon, j'ai commencé effectivement apprenti marin et j'ai donc tenu des postes d'opérateur, pendant trois ans environ. Au bout de ces trois ans, j'ai été admis à un cours de technicien et après ce cours de technicien, j'ai tenu des emplois d'opérateur qualifié, on va dire

cela comme ça, pendant huit ans, mais avec une petite progression : très rapidement, on m'a confié une petite équipe et donc, pendant ces huit années, j'ai été à la fois opérateur qualifié mais…
—Mais… ?
—J'avais aussi avec moi…
—En même temps…
—En même temps, trois, quatre, cinq opérateurs que je dirigeais.
—D'accord.
—Donc, huit ans plus tard, ça a été un cours de technicien supérieur et après ce cours de technicien supérieur donc, des emplois d'encadrement.
—D'accord, donc uniquement ça ?
—Après cela, ça a duré à peu près sept ans, j'ai eu divers postes de technicien supérieur. J'ai… passé, j'ai fait le, j'ai… passé le concours des officiers spécialisés de la Marine nationale et après une formation d'officier, j'ai accédé donc à des postes un peu plus étoffés, des postes pour commencer d'adjoint de chef de service, puis chef de service et en fait, j'ai terminé avec un poste de direction, un poste de commandement au bataillon des marins-pompiers de Marseille, où je commandais la caserne technique. Alors ça peut paraître surprenant, le bataillon des marins-pompiers de Marseille, puisque les pompiers c'est un corps civil, habillé en tenue, avec des galons, mais ils n'ont rien de militaire.
—Non non, enfin…
—Ils sont civils et ils dépendent du ministère de l'Intérieur. Il y a deux exceptions. En France, il y a deux villes, Paris et Marseille, dont les pompiers sont des militaires.
—Mais vous n'avez pas toujours travaillé à Marseille ?
—Non !
—Vous avez travaillé un peu partout dans le monde ou… ?
—Oui, c'est assez… c'est assez divers. Il y a eu Toulon, où ça a été le plus gros de la carrière quand même, Toulon. Il y a eu Brest aussi, Brest où j'ai passé un petit… j'ai passé quelque temps à Brest, pas très longtemps ; j'ai dû passer à peu près deux ans, mais deux fois un an à Brest et puis ça a été donc Dakar, au Sénégal.
—Au Sénégal.
—Pendant 27 mois, la Polynésie française, Tahiti, pendant un an.
—Ahoui, quelle chance vous avez !
—Oui, c'est très très joli, Tahiti, c'est très… c'est la carte postale. Mais j'ai préféré la Nouvelle-Calédonie et Nouméa.
—Et vous êtes arrivé aussi jusqu'en Nouvelle-Calédonie… !?
—Voilà, oui, oui, et c'est beaucoup plus agréable à vivre que Tahiti, à mon goût, parce que Tahiti reste vraiment une photo de carte postale.
—Oui, ça ne va pas au-delà ?
—Si, mais c'est assez difficile, il y a un climat assez pénible à supporter, il y a une chaleur très moite, très très lourde, alors que la Nouvelle-Calédonie… ce n'est pas aussi pénible. La température la plus basse de Nouvelle-Calédonie, c'est 20 degrés, donc ça va, on le supporte assez facilement et la température la plus haute, c'est rarement au-delà de 36 degrés.
—Ah oui. Mais est-ce que vous avez choisi votre métier parce vous aimiez la mer ou est-ce que, avec votre métier, vous avez appris, découvert la mer ?
—C'est plutôt la deuxième solution, c'est avec mon métier que j'ai appris et découvert la mer. Je suis né dans le Massif Central, donc c'était pas vraiment une vocation maritime, mais bon, des circonstances m'ont amené, à 17 ans, à m'engager dans la Marine nationale et là, j'ai vraiment… j'ai vraiment, petit à petit, découvert la mer, et petit à petit, appris à connaître, à aimer, à communier un peu avec la mer et depuis, je suis toujours resté près de la mer, même si je ne navigue plus, je suis quand même ici à Barcelone, tout près de la mer.

LEÇON 8

SITUATIONS

Activité 1, page 101

—Il est 11 heures 30, l'heure de « Pour tous les goûts », le rendez-vous du samedi pour les amateurs de bonne chère. Aujourd'hui donc, il y a à boire et à manger puisque nous allons rejoindre dans quelques instants notre premier invité, un jeune œnologue qui nous parlera des vins. Après, nous écouterons madame Bruant nous parler de petits plats et de cuisine.

Activité 2, page 101

—Voilà vous êtes œnologue, il est presque midi, alors pour mettre l'eau à la bouche de tous les auditeurs qui nous écoutent et qui commencent à avoir un petit creux, dites-nous s'il vous plaît quel vin vous nous conseillez pour ce petit repas de printemps : salade du jour aux gésiers de canard, pigeon mijoté aux petits pois frais et clafoutis aux cerises.
—Je trouve que… un Côtes du Rhône par exemple, un Côtes du Rhône fait avec la variété Chirat, vieilli en fût de chêne, un petit peu boisé pourrait combiner très bien avec les gésiers, hein, avec l'entrée et puis aussi avec le plat de résistance, avec… avec le pigeon.
—Ah bon… et comment se sert-il, ce petit vin, pour être à la bonne température ?
—Bon ben, il faut qu'il soit à à peu près 16-17 degrés, qu'il soit ouvert au moins une demi-heure ou bien une heure à l'avance, hein, et puis voilà, servi dans des jolis verres à vin transparents, hein, et voilà.

—Bon alors maintenant, dites-nous sans réfléchir hein, comme ça, spontanément, quelques grandes règles à suivre pour choisir un vin, quels éléments vous prenez en compte quand on fait appel à vous ?
—Voilà, pour… pour choisir un vin, mon conseil c'est d'aller visiter un… une cave, un… un négociant ou bien une cave de vins parce que c'est c'est là que les vins sont… qu'on a une garantie que les vins ont été conservés à une bonne température, horizontalement, que la bouteille a été gardée horizontalement et voilà, il vaut mieux aller chez un spécialiste qui en même temps pourra nous conseiller, hein, quel est le vin qui pourrait euh… combiner le mieux, par exemple, avec un repas.
—Et pour acompagner la viande blanche, vous personnellement, qu'est-ce que vous conseillez ?
—Pour une viande blanche, il vaut mieux… euh… je choisirais plutôt un vin rouge léger, un vin rouge jeune, hein, par exemple, un… ça pourrait être un vin de l'année euh… pourquoi pas un… même un Beaujolais ou bien un vin jeune qui… de l'année et pas trop trop corsé.
—Et avec les fruits de mer et les crustacés ?
—Pour les fruits de mer, plutôt un vin blanc sec, par exemple un bon vin, ce serait euh… un Muscadet de la région nantaise ou bien… un vin de Loire aussi, un vin de Loire blanc sec, par exemple, issu du cépage du Chenay ou bien du Sauvignon blanc. Un Sauvignon blanc, c'est très bien pour… pour le poisson.
—Et le foie gras ?
—Ah, pour le foie gras, un vin blanc aussi, mais plutôt un vin blanc moelleux, un… par exemple un Sauternes, le Sauternes combine très très bien, un vin de Bordeaux blanc.
—Et puis c'est excellent !
—Ah oui, c'est… c'est vraiment un grand vin, un peu cher parfois, mais mais… bon, qui mérite d'être accompagné d'un bon plat comme le foie gras, ou bien sinon on peut choisir aussi un Montbazillac qui est… qui est très bien aussi, un vin liquoreux, ou bien un vin… même un vin de Banyuls, un vin du sud de la France.

Activité 4, page 101

—Nous abordons maintenant le deuxième volet de cette émission consacrée à la gastronomie et nous avons changé d'ambiance, ambiance cuisine. Vous ne pouvez pas en profiter, c'est bien dommage parce qu'il y a ici une bonne odeur qui nous vient des fourneaux, de quoi vous mettre en appétit. Alors dites-moi, madame Bruant, qu'est-ce que vous êtes en train de faire mijoter ?
—Un canard aux poires.
—Un canard aux poires.
—Oui. C'est une recette que j'ai modifiée,

que j'ai à moitié inventée, mais c'est très très bon ! Je trouve ça meilleur… bon y a le canard aux pruneaux et puis le canard aux oranges et puis celui-là, il est aux poires, que moi je fais macérer la veille dans du vin rouge. Et puis le p'tit truc, c'est de mettre dans le vin rouge de la vanille et un p'tit piment rouge pour… pour… pour lui donner un peu de piquant. Alors vous faites cette macération, vous faites cuire les poires un peu et le lendemain, vous mettez le canard au four très chaud, très chaud, 20 minutes selon le poids pour que la peau tout de suite prenne de la dorure. Ensuite vous baissez la… la cuisson, vous laissez cuire encore un peu plus et ensuite, vous rajoutez les poires qui cuisent… Le vin, vous ne l'utilisez pas. Les poires cuisent dans la graisse du canard et puis… et puis ça y est.
—Et alors, dites-moi, comment avez-vous appris à cuisiner au départ ? En aidant votre mère ? En la regardant ? En l'imitant ?
—En la regardant, en l'aidant certainement, je me rappelle pas très bien. Ce que je me rappelle parfaitement, c'est que nous avions très peu d'argent à la maison, donc on faisait une cuisine assez… assez… limitée disons, mais ma mère avait le… le… le soin du détail ; elle mettait toujours, même si c'était des pommes à l'eau, elle mettait des petites herbes qu'elle coupait qu'elle mettait par-dessus pour que ça soit meilleur, que ça soit plus joli.
—Vous nous avez, tout à l'heure, parlé de cet aspect essentiel pour vous de convivialité, si vous invitez des amis, comment… qu'est-ce qu'il faut pour vous pour qu'un repas soit réussi ?
—Bah, il faut d'abord que ce soient des amis et… bien choisis, pour que… euh ne pas mélanger des gens qui n'ont pas d'affinités entre eux, hein ; vous invitez cinq ou six personnes, il faut que… il y ait une affinité entre toutes ces personnes-là, pour que une ambiance s'installe. Bon, alors on prend d'abord tranquillement un apéritif, je déteste que les gens viennent et se mettent à table, moi pendant ce temps-là je finis la cuisine mais je suis avec des amis, je vais, je viens, et ensuite… ça, ça peut durer une demi-heure trois quarts d'heure hein, l'apéritif ; après, on se met à table et là, j'essaye de faire quelque chose de bon et en plus un peu joli.
—Donc, pour vous, la cuisine est un lieu d'échange, ce n'est pas un…
—D'échange et de création. De création parce que bon, il faut bien dire que je n'ai jamais cuisiné pour quatre ou cinq personnes deux fois par jour, donc, pour moi, la cuisine, c'est toujours resté un plaisir.

LEÇON 9

SITUATIONS
Activité 1, page 115

—Alors ça consiste en quoi une journée de travail d'un mathématicien ?
—Alors, la première des choses, peut-être, dont il faut se rendre compte, c'est qu'il y a pas de journée type.
—Ah ?
—On ne peut pas s'asseoir à son bureau et décider qu'aujourd'hui on va être efficace, on va avoir des idées et on va démontrer plein de nouvelles choses très intéressantes. Il y a des moments où, malgré la bonne volonté, rien ne se passe ; mais on pourrait quand même dégager un certain nombre d'activités types qui vont revenir à des fréquences, bon, variées, en fonction de l'inspiration. Peut-être celle qui est la plus facile à définir, c'est que l'obligation, on va dire hebdomadaire, des mathématiciens ou des chercheurs en règle générale, est d'assister à un séminaire. Donc on fait venir des invités étrangers ou des membres du département dans lequel on travaille, qui vont expliquer à l'équipe leurs travaux, souvent les plus récents, ou alors étudier ensemble une nouvelle théorie à l'aide de l'étude d'un livre. Alors ça, c'est une réunion où… qui est souvent donc hebdomadaire, d'une à deux heures, pendant lesquelles les gens écoutent un exposé, posent des questions et apprennent ensemble. Ce serait une version de la communication orale du savoir.
—D'accord, mais donc… et ça, ça doit vous fournir après des bases pour travailler ou ça fait simplement partie de…
—C'est… en règle générale, les exposés auxquels on assiste ne sont pas réellement dans notre domaine de spécialité extrêmement précis, donc ne nous sont pas d'un intérêt à priori immédat. Ce qui va se passer, par contre, c'est que, ne serait-ce que pour avoir une vision plus large de la sous-branche dans laquelle on travaille, c'est important de développer une sorte de culture générale de la matière.
—Si vous avez un projet de recherche ou si vous travaillez sur une hypothèse, ça se passe comment ? Quelle va être votre démarche de travail ?
—Pour le projet de recherche, tout d'abord, il s'agit de trouver une idée. Alors cette idée-là justement fait partie, je rebondis sur ce que j'ai déjà dit tout à l'heure, d'une… d'une… qu'il n'y a pas de journée type, c'est-à-dire qu'on ne peut pas décider d'avoir une idée, mais au travers

de ces exposés auxquels on assiste ou de diverses lectures, en consultant des livres, disons qu'on a ici une piste de recherche et on a envie d'explorer une voie. Alors on s'attaque donc à un problème que l'on a déterminé et il faut, bien entendu, comme on veut faire de la recherche et faire avancer la science, trouver un résultat nouveau ; et il y a tout un travail de bibliographie à faire pour s'assurer que la chose n'a pas déjà été faite ; ça c'est la première des choses, donc il y a tout un travail de bibliographie et réellement un outil, peut-être l'outil le plus important d'un mathématicien, c'est l'accès à une bibliothèque fournie, avec des ouvrages de référence et aussi des revues dans lesquelles on publie les articles pour communiquer au monde scientifique les nouveautés dans les diverses matières. Ensuite, euh… eh bien, on va s'atteler avec sa petite feuille de papier et son stylo à essayer de trouver, ensuite, des nouveautés et des voies d'approche pour démontrer un résultat. L'efficacité n'est pas tout le temps, on passe par différentes périodes : une période active où on va savoir trouver un problème, puis on va tomber sur un autre problème au même sein du… par rapport au sujet initial que l'on s'était donné, et là une balade dans un parc ou bien le fait d'aller au cinéma…
—Ça peut vous aider à…
—Ça peut débloquer. On est comme ça confronté réellement à une chose qu'on maîtrise pas totalement qui est l'étincelle, comme on pourrait dire, même s'il s'agit d'une petite étincelle pour… pour un petit résultat mais qui peut survenir lors d'une balade, le lendemain en se réveillant, alors qu'on coinçait depuis trois mois, et tout d'un coup, l'étincelle se fait.
—Donc, par rapport à ce que vous venez de nous expliquer, on peut considérer qu'en fait, le mathématicien, c'est aussi un créateur ?
—Alors effectivement, l'activité de mathématicien a beaucoup à voir, pour une activité vraiment scientifique et un peu froide, au travail d'un créateur ou d'un artiste ; on est assez dépendant de quelque chose qui peut s'apparenter à de l'inspiration. Euh… de plus, quand on crée en mathématiques, on va essayer de… de… de faire avancer, donc, la science dans un domaine qui n'a pas pour volonté d'être appliqué ; donc, ce serait quoi ? C'est une sorte de création, d'inventivité de quelque chose sans but applicatif et ça, ça re… ça reprend quelque part une définition un peu élémentaire, quasi philosophique, de ce que pourrait être l'art ; de plus, pour finir je dirai que dans le… dans le milieu mathématique il y a des adjectifs qui peuvent paraître un petit peu étranges, que nous nous utilisons beaucoup au sujet de nos démonstrations,

ou de résultats, ou de théories, qui sont « l'élégance d'une démonstration », « la beauté d'une preuve » et ce sont vraiment des termes que nous employons assez régulièrement ; on baigne là-dedans, même si c'est difficile de… d'expliquer à quelqu'un pourquoi on va trouver que telle preuve est plus élégante, plus belle euh qu'une autre, mais il y a une notion d'esthétisme, de création dans un but esthétique, sans volonté d'application ; ça réellement, c'est… ça, ça rejoint un petit peu une définition de lycée, en tout cas de philosophie qu'on pourrait donner à une œuvre d'art.

GRAMMAIRE

Activité 1, page 117

–Un quoi ? Un agitateur ? Si vous l'appeliez autrement, les gens ne seraient pas si méfiants.
–En travaillant un peu plus, ils auraient pu transformer l'eau en vin !
–Au cas où ça ne marcherait pas bien, je vais d'abord essayer sur ma belle-mère…
–Alors, si j'ai bien compris, en cas de régime sans alcool, votre agitateur peut me servir à faire des cocktails ?
–Mais c'est super ! Avec Ricomaster, pas de danger pour la santé !
–D'accord pour votre invention, mais avec une garantie de deux ans minimum, sinon je n'en veux pas !

COMPÉTENCES

Activité 1, page 121

–Ben, écoutez, la première question c'est que, si vous deviez nous expliquer, nous définir un peu précisément en quoi consiste votre travail, que diriez-vous ? Avec qui êtes-vous en contact, etc. ?
–Alors, tout d'abord, dire que toutes… toutes les firmes pharmaceutiques, toutes les entreprises ont en général un service d'information scientifique ou d'information médicale, comme on voudra bien l'appeler, euh… qui comprend évidemment un documentaliste. Le documentaliste, qu'est-ce qu'il va faire ? Il est chargé de répondre aux questions que vont lui poser les médecins, aussi bien des hôpitaux que des autres centres de santé.
–D'accord. Et vous exercez ce métier depuis longtemps ?
–Eh ben, depuis une vingtaine d'années maintenant.
–Et en fonction de ça, vous avez pu noter ou constater une évolution dans les traitements ou dans les médicaments qu'on prescrit ? Est-ce qu'il y a eu des changements ? Est-ce que… ?
–Ben, y a le… évidemment, l'un des domaines où on travaille beaucoup, beaucoup de laboratoires travaillent intensément, c'est le sida évidemment,

hein, euh… Plusieurs laboratoires ont développé des produits qui ne… qui ne donnent pas beaucoup de résultats et, malgré tout, on est en train de se rendre compte que… on parle maintenant de cocktails, carrément, c'est… que… qu'en mélangeant plusieurs produits développés par plusieurs laboratoires, on obtient un meilleur résultat, mais seulement chez un certain nombre de patients. Certains patients ne réagissent pas ou réagissent mal, et on ne sait pas trop pourquoi…
–C'est toujours un peu mystérieux.
–C'est toujours un peu mystérieux, le sida, c'est encore une…, c'est une maladie qu'on n'arrive pas à cerner. Comme beaucoup de cancers, d'ailleurs, par exemple, hein.
–Oui. Et actuellement, quels sont les médicaments de pointe ?
–Y a des médicaments de pointe, bon, en neurologie par exemple […] on arrive à freiner les symptômes du Parkinson mais c'est ça, on ne traite pas la maladie, on freine les symptômes, c'est tout ! Les dernières recherches permettent, permettent, ont permis de développer des médicaments dans ce sens-là mais ce ne sont pas des traitements. Ce sont des… c'est ce qu'on appelle des traitements symptomatiques. Le cerveau est encore une grande inconnue, hein.
–Et au cas où un médicament aurait des effets secondaires, que se passerait-il ? Est-ce que… enfin, comment pourrait réagir votre firme ?
–Donc là, y a des normes très précises et… il existe des… des lois très strictes quant à la communication des effets secondaires. Donc évidemment, le premier qui doit le communiquer, c'est le patient. À moins que le patient soit hospitalisé, dans ce cas-là, c'est le médecin qui le, qui le détecte évidemment à l'hôpital, mais enfin, bon le… ça va du patient au médecin, du… du médecin au… au laboratoire et du laboratoire au… au service de pharmacovigilance du ministère de la Santé. Le laboratoire lui-même est obligé d'avoir un spécialiste de pharmacovigilance, qui est tout le temps en alerte et prêt à recevoir les appels des médecins, des pharmaciens. Ils ont même aujourd'hui un portable avec un numéro accessible pratiquement jour et nuit.
–Ah oui ?
–Oui oui et donc euh… alors, le… le service de pharmacovigilance du ministère de la Santé dispose d'une base de données où sont recueillis tous les… tous les effets secondaires produits par les… par les médicaments qui sont administrés dans tout le pays.
–Et est-ce qu'il y a des cas où les effets secondaires, en fait, se sont révélés, sont apparus bien des années après la mise en

vente du médicament, c'est-à-dire plutôt des effets secondaires détectables à long terme ?
–Y a, y a eu euh… y a eu un… effet secondaire assez néfaste avec euh… la, par exemple, la première hormone de croissance extractive, avec une maladie qui s'appelle la maladie de Creutzfeldt Jacob qui est un virus lent qui se… qui n'apparaît qu'au bout de quinze ou vingt… oui, dix, quinze, vingt ans, selon les cas. Et bon, ben, y a eu des cas dans le monde entier et… heureusement, ça s'est produit quand déjà on était sur le point de développer l'hormone de croissance biosynthétique, donc elle a pu être retirée du marché évidemment immédiatement, et pouvoir limiter les dégâts au maximum.
–Oui et donc euh… l'hormone qui venait d'être mise au point là, la biosynthétique, ne présentait absolument pas les…
–Non, puisque n'étant pas extractive, il n'y a plus de risque de contamination par aucun organisme ni micro-organisme. Elle est, elle est… elle se fabrique par ce qu'on appelle le génie génétique, c'est-à-dire elle est fabriquée génétiquement et donc heu… c'est un peu comme son nom l'indique, elle est purement synthétique.
–Purement synthétique…
–Complètement synthétique.
–Donc n'offre aucune… ?
–Elle n'offre aucune… aucun risque.
–Ah ben, c'est très bien. Eh bien écoutez, je vous remercie pour ce petit entretien.
–Je vous en prie.

LEÇON 10

Activité 1, page 125

1) –Y en avait deux qui finissaient en impasse, donc…
   –Ça, c'est Paris…
   –Quand même des conditions particulières.
   –Y avait des lilas dans cette rue ? De l'herbe ?
   –Non, pas de lilas mais ça, c'est ça que j'aime bien, tu vois, de Paris, c'est que à Paris, je crois que tout est possible, vous êtes pas d'accord ?
   –Si, si.
   –On sort de la Tombe-Issoire et on se trouve dans un quartier protégé.
   –Ouais, ouais.
   –Presque campagnard.
   –Et puis je sais pas, c'est l'occasion de plein de choses, non ?
2) –Mais t'es pas parisien toi, à l'origine ?
   –Euh… si, j'suis parisien mais de la banlieue parisienne.
   –Ah ouais.
   –C'est un peu différent.
   –Ouais.
   –Je peux te poser une question ?
   –Oui, oui.

—Euh… tu es parisien, de la banlieue, donc tu faisais des trajets pour venir à… à la Bastille ?

—Je faisais des trajets, j'avais trois…

—Comment c'était, ça ?

—Ben c'était… c'était assez mal desservi, enfin c'était mal desservi parce que j'habitais un village de banlieue, donc alors, il me fallait déjà prendre une voiture pour aller à la gare, et de la gare ensuite… prendre le bus, et donc ça revenait à trois heures de… de transports par jour…

—Oui, trois heures.

—Et, et c'était assez éprouvant, quoi. Et c'est pas… c'est pas…. on connaît mal Paris si on… déjà on le vit dans les transports et on a une heure pour manger un sandwich.

—On a le pire, quoi…

—Voilà, le pire, oui.

—…de Paris, oui.

—Mais le vivre le week-end, c'est assez différent aussi et puis, quand on commence à s'initier à aller à Paris, après ça, on commence à apprécier Paris.

—Pour l'histoire des transports, tu sais, je te comprends très bien parce que… moi, j'habitais Paris et je travaillais en banlieue et les trois heures…

—L'inverse alors…

—Et les trois heures, je les avais… Je ne sais pas ce qui se passait avec toi mais le matin, ça va, une heure, une heure dix. Mais le soir pour rentrer, avec le bruit, les embouteillages, ça durait de une heure et demie à deux heures. C'était le soir presque le double de temps pour faire le même trajet.

—En voiture ?

—En voiture ? Non, non !

—En train, en transport en commun.

—Non, avec métro, autobus, parce que le train ne passait pas du tout près de l'endroit où je travaillais… Non, non, c'était métro jusqu'à la Porte d'Orléans et autobus.

—Mmm.

—Ah oui…

3) —Y a pas beaucoup de gens, hein, qui ont cette chance de… d'abord de travailler près de… de…

—Pas très loin…

—De son logement, hein, et… et de prendre les transports en commun en dehors des heures de pointe, hein, ça

—Ouais c'est…

—Parce que toi, tu prenais…

—Euh, ben en pleine heure de pointe.

—En pleine heure de pointe.

—Et quand il y avait à Paris des grèves… Enfin, moi j'avais la ch[…]

—Ah, les grèves !

—D'être étudiant déjà, c'est que quand y a des grèves en étant étudiant bon, on peut s'arranger pour… pour pas aller en cours ou bon…

—Oui, mais quand tu travailles…

—Mais quand on a un travail, c'est pas possible.

—Ah ! les grèves…

—Ça, c'est terrible !

—C'est pour ça que, par la suite, moi j'ai beaucoup déménagé à Paris, mais je choisissais toujours…

—En fonction !

—En fonction de… des grèves, c'est-à-dire, euh… même si c'était trois quarts d'heure pour aller à pied, mais c'était quand même…

—Faisable.

—Faisable, parce que… euh, c'est pour ça que je suis revenue travailler dans Paris parce que heu, l'histoire de… des grèves assez fréquentes, il faut le reconnaître, hein… quand t'es obligée de faire du stop dans la neige, que tu arrives… deux heures en retard, enfin ce sont les problèmes de… de Paris.

—Bon, mais y a pas que ça, quand même… Tout à l'heure, il a dit que, quand on commençait à connaître Paris le week-end, etc., on pouvait apprécier.

4) —Parce que c'est ça, Paris, c'est…

—Il faut casser le moule.

—Et puis c'est cosmopolite…

—Le moule est dur, mais il faut casser.

—Il faut que le cosmopolite, il vive quoi, hein, il s'intègre.

—Parce que les bars à Paris, les cafés, les troquets, les… les brasseries, c'est quelque chose d'exceptionnel… pour le brassage des gens.

—Des, des gens.

5) —Dans d'autres villes il y a des cafés très agréables, très accueillants, mais tu sais que, quand tu pousses la porte, tu vas rencontrer telle ou telle catégorie de personnes et ça, dans plusieurs grandes villes, je l'ai remarqué : y a les bars branchés, y a les bars des vieilles dames, y a les bars des intellectuels, etc.… et à Paris, tu t'assois sur une banquette en moleskine et tu peux rencontrer un colonel en retraite, une ballerine avec le pied cassé, une ménagère de cinquante ans en déprime, un étudiant… qui a une bronchite et… ou un Américain qui veut connaître le Paris intellectuel. Et les gens te parlent dans les cafés, y a… y a un mélange, on ne sait jamais qui on va rencontrer…

—Ouais.

—Et avec…, parce que tu parlais de moule tout à l'heure. Le moule parisien est un peu dur, mais il est facilement

cassable, il suffit de s'asseoir à une table de café et d'y rester plus d'une demi-heure.

—Mmm, pour lier les contacts.

—Qu'est-ce que tu en penses, Frédéric ?

—Moi, je pense à peu près, enfin si, la même chose, hein, que… et… et j'apprécie aussi surtout la diversité des quartiers… c'est-à-dire de rencontrer…. euh… ben des populations même étrangères, dans… dans… certains quartiers… Si on a envie, par exemple, de manger une… une bonne… une bonne soupe asiatique, on va dans le XIIIe et là, ça sera à l'identique et on va vraiment, c'est limite, se croire au pays, en Asie. Ça, ça c'est quand même une richesse, tout ça.

6) —Et toi, qu'est-ce que tu en penses ?

—De… ?

—De s'approcher des gens dans les cafés, dans les bars, que ce sont… que Paris est un lieu spécial pour ça…

—Oui, mais je crois qu'il y a quand même des cafés où, par exemple, tout ce qui est Quartier Latin, etc., la tradition, elle est plus au… s'approcher et puis entrer en contact. Des bars de petits quartiers, des bars d'habitués, etc., si tu rentres dans un bar d'habitués, tu vas avoir l'impression qu'on te regarde un peu : « Tiens, une nouvelle tête ! Qu'est-ce qu'elle vient faire là ? » etc; le contact est pas forcément immédiat.

—Ah, il faut du temps.

—Je dis pas qu'il existe pas.

—Il faut du temps.

—Mais…

—Il faut apprivoiser. Ah ben, c'est normal aussi !

—Voilà, mais je crois que c'est aussi un peu l'image de Paris.

PROJET

Activité 4, page 133

—Oui, m'sieur Anthore, le propriétaire, à l'appareil. Ben évidemment, y a personne. Plusieurs de vos voisins m'ont signalé qu'ils n'avaient pas pu dormir à cause de vous parce que vous aviez laissé votre chien seul et qu'il avait pleuré jusqu'à minuit passé. Ce n'est pas la première fois qu'on se plaint dans l'immeuble à votre sujet : une fois c'est les poubelles, après c'est les allées et venues à n'importe quelle heure, quand c'est pas la musique, et j'en passe… mais cette fois, ça dépasse les bornes !!! Votre contrat n'est pas éternel, Dieu merci ! Vous allez entendre parler de moi, c'est moi qui vous le dis !

139928 - Janvier 2007
[…].M.E. – 25110 Baume-les-Dames